#교과서×사고력
#게임하듯공부해
#스티커게임?리얼공부!

Go! 매쓰
초등 수학

저자 김보미

- 네이버 대표카페 '성공하는 공부방 운영하기' 운영자
- '미래엔', '메가스터디', '천재교육' 교재 기획 및 집필
- 전국 1,000개 이상의 공부방/선생님 컨설팅 및 교육
- 현재 〈GO! 매쓰〉 수학 공부방 운영

**Chunjae
Makes
Chunjae**

▼

기획총괄	김안나
편집개발	김혜민, 김정희, 최수정, 이근우, 서진호
디자인총괄	김희정
표지디자인	윤순미
내지디자인	박희춘, 이혜미
제작	황성진, 조규영

발행일	2020년 10월 1일 2판 2024년 12월 15일 5쇄
발행인	(주)천재교육
주소	서울시 금천구 가산로9길 54
신고번호	제2001-000018호
고객센터	1577-0902
교재 구입 문의	1522-5566

교과서 GO! 사고력 GO!

GO! 매쓰

GO!

Start
교과서 개념

수학 6-1

구성과 특징

1 교과서 개념 잡기

교과서 개념을 익힌 다음 개념 OX 또는 개념 Play로 개념을 확인하고 개념 확인 문제를 풀어 보세요.

개념 OX 또는 개념 Play로 개념을 재미있게 확인할 수 있습니다.

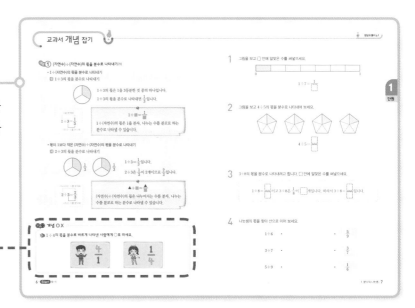

2 교과서 개념

개념을 게임으로 학습하면서 집중력을 높여 개념을 익히고 기본을 탄탄하게 만들어요.

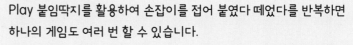

Play 붙임딱지를 활용하여 손잡이를 접어 붙였다 떼었다를 반복하면 하나의 게임도 여러 번 할 수 있습니다.

3 집중! 드릴 문제

각 단원에 꼭 필요한 기초 문제를 반복하여 풀어 보면 기초력을 향상시킬 수 있어요.

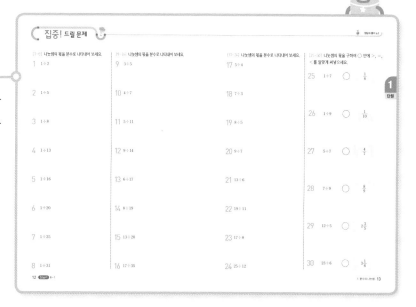

4 교과서 개념 확인 문제

교과서와 익힘책의 다양한 유형의 문제를 풀어 볼 수 있어요.

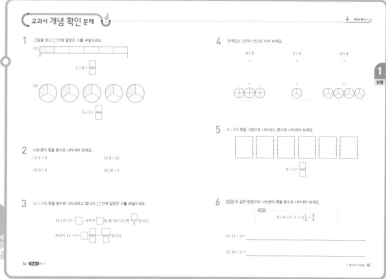

5 개념 확인평가

각 단원의 개념을 잘 이해하였는지 평가하여 배운 내용을 정리할 수 있어요.

GO! 매쓰 Start

차례

1 분수의 나눗셈

개념 1 (자연수)÷(자연수)의 몫을 분수로 나타내기(1)

• 1÷(자연수)의 몫을 분수로 나타내기

　例 1÷3의 몫을 분수로 나타내기

1÷3의 몫은 1을 3등분한 것 중의 하나입니다.

1÷3의 몫을 분수로 나타내면 $\frac{1}{3}$입니다.

1을 분자에
$$1÷3=\frac{1}{3}$$
나누는 수를 분모에

$$1÷\blacksquare=\frac{1}{\blacksquare}$$

1÷(자연수)의 몫은 1을 분자, 나누는 수를 분모로 하는 분수로 나타낼 수 있습니다.

• 몫이 1보다 작은 (자연수)÷(자연수)의 몫을 분수로 나타내기

　例 2÷3의 몫을 분수로 나타내기

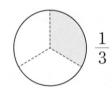 $\frac{1}{3}$　　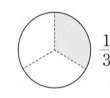 $\frac{1}{3}$

1÷3=$\frac{1}{3}$입니다.

2÷3은 $\frac{1}{3}$이 2개이므로 $\frac{2}{3}$입니다.

나누어지는 수를 분자에
$$2÷3=\frac{2}{3}$$
나누는 수를 분모에

$$\blacktriangle÷\blacksquare=\frac{\blacktriangle}{\blacksquare}$$

(자연수)÷(자연수)의 몫은 나누어지는 수를 분자, 나누는 수를 분모로 하는 분수로 나타낼 수 있습니다.

개념 O X

🎓 1÷4의 몫을 분수로 바르게 나타낸 사람에게 ◯표 하세요.

1 그림을 보고 ☐ 안에 알맞은 수를 써넣으세요.

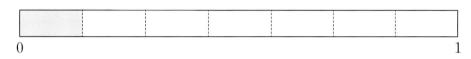

0   1

$$1 \div 7 = \dfrac{1}{\boxed{}}$$

2 그림을 보고 $4 \div 5$의 몫을 분수로 나타내어 보세요.

 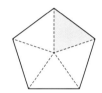

$$4 \div 5 = \dfrac{\boxed{}}{\boxed{}}$$

3 $3 \div 8$의 몫을 분수로 나타내려고 합니다. ☐ 안에 알맞은 수를 써넣으세요.

$1 \div 8 = \dfrac{\boxed{}}{\boxed{}}$ 이고 $3 \div 8$은 $\dfrac{1}{8}$이 $\boxed{}$ 개입니다. 따라서 $3 \div 8 = \dfrac{\boxed{}}{\boxed{}}$ 입니다.

4 나눗셈의 몫을 찾아 선으로 이어 보세요.

$1 \div 6$ •   • $\dfrac{5}{9}$

$3 \div 7$ •   • $\dfrac{3}{7}$

$5 \div 9$ •   • $\dfrac{1}{6}$

개념 ② (자연수)÷(자연수)의 몫을 분수로 나타내기(2)

몫이 1보다 큰 (자연수)÷(자연수)의 몫을 분수로 나타내기

예 5÷4의 몫을 분수로 나타내기

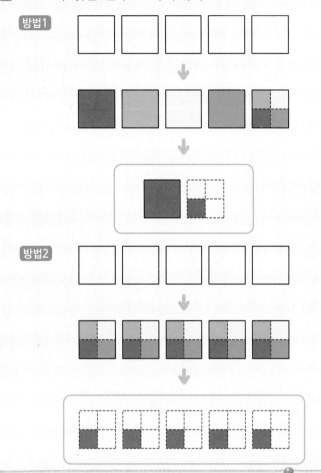

방법1

$5 \div 4 = 1 \cdots 1$입니다.

나머지 1을 다시 4로 나누면 $\frac{1}{4}$이므로

$5 \div 4$의 몫은 $1\frac{1}{4}$입니다.

→ $5 \div 4 = 1\frac{1}{4} = \frac{5}{4}$

방법2

$1 \div 4 = \frac{1}{4}$이고 $5 \div 4$는 $\frac{1}{4}$이 5개이므로 $\frac{5}{4}$입니다.

→ $5 \div 4 = \frac{5}{4} = 1\frac{1}{4}$

(자연수)÷(자연수)의 몫은 나누어지는 수를 분자, 나누는 수를 분모로 하는 분수로 나타낼 수 있습니다.

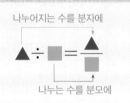

나누어지는 수를 분자에

$\blacktriangle \div \blacksquare = \dfrac{\blacktriangle}{\blacksquare}$

나누는 수를 분모에

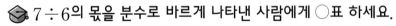

🎮 개념 **O X**

🎓 $7 \div 6$의 몫을 분수로 바르게 나타낸 사람에게 ◯표 하세요.

1 4÷3의 몫을 분수로 나타내는 과정입니다. □ 안에 알맞은 수를 써넣으세요.

$1÷3=\dfrac{\square}{\square}$ 입니다.

$4÷3$은 $\dfrac{1}{3}$이 $\square$ 개입니다.

따라서 $4÷3=\dfrac{\square}{\square}=\square\dfrac{\square}{\square}$ 입니다.

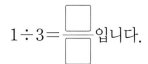

2 9÷5의 몫을 분수로 나타내려고 합니다. □ 안에 알맞은 수를 써넣으세요.

$9÷5=1\cdots\square$, 나머지 $\square$ 을/를 5로 나누면 $\dfrac{\square}{\square}$ 입니다.

따라서 $9÷5=1\dfrac{\square}{\square}=\dfrac{\square}{\square}$ 입니다.

3 나눗셈의 몫을 찾아 선으로 이어 보세요.

$7÷6$ •

$13÷4$ •

$20÷7$ •

• $\dfrac{13}{4}$

• $\dfrac{20}{7}$

• $\dfrac{7}{6}$

준비물 붙임딱지

나눗셈의 몫을 분수로 나타낸 붙임딱지를 붙여 퍼즐을 완성해 보세요.

$2 \div 7$	$5 \div 8$	$3 \div 10$
$4 \div 9$	$1 \div 9$	$6 \div 7$
$3 \div 8$	$9 \div 10$	$5 \div 7$
$7 \div 8$	$8 \div 9$	$7 \div 10$

$4 \div 3$	$7 \div 5$	$11 \div 6$
$9 \div 4$	$13 \div 6$	$11 \div 3$
$5 \div 4$	$12 \div 5$	$7 \div 3$
$17 \div 6$	$14 \div 5$	$13 \div 4$

집중! 드릴 문제

[1~8] 나눗셈의 몫을 분수로 나타내어 보세요.

1 1÷2

2 1÷5

3 1÷8

4 1÷13

5 1÷16

6 1÷20

7 1÷25

8 1÷31

[9~16] 나눗셈의 몫을 분수로 나타내어 보세요.

9 3÷5

10 4÷7

11 5÷11

12 9÷14

13 6÷17

14 8÷19

15 13÷20

16 17÷35

[17~24] 나눗셈의 몫을 분수로 나타내어 보세요.

17 $5 \div 4$

18 $7 \div 3$

19 $8 \div 5$

20 $9 \div 7$

21 $13 \div 6$

22 $19 \div 11$

23 $17 \div 8$

24 $25 \div 12$

[25~30] 나눗셈의 몫을 구하여 ◯ 안에 >, =, <를 알맞게 써넣으세요.

25 $1 \div 7$ ◯ $\dfrac{1}{6}$

26 $1 \div 9$ ◯ $\dfrac{1}{10}$

27 $5 \div 7$ ◯ $\dfrac{4}{7}$

28 $7 \div 9$ ◯ $\dfrac{8}{9}$

29 $12 \div 5$ ◯ $2\dfrac{3}{5}$

30 $23 \div 6$ ◯ $3\dfrac{1}{6}$

1 그림을 보고 □ 안에 알맞은 수를 써넣으세요.

(1)

$$1 \div 6 = \frac{\boxed{}}{\boxed{}}$$

(2)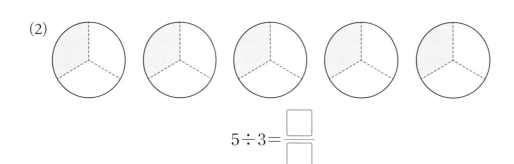

$$5 \div 3 = \frac{\boxed{}}{\boxed{}}$$

2 나눗셈의 몫을 분수로 나타내어 보세요.

(1) $1 \div 9$

(2) $8 \div 13$

(3) $9 \div 4$

(4) $10 \div 3$

3 $11 \div 5$의 몫을 분수로 나타내려고 합니다. □ 안에 알맞은 수를 써넣으세요.

$11 \div 5 = 2 \cdots \boxed{}$, 나머지 $\boxed{}$을/를 5로 나누면 $\dfrac{\boxed{}}{5}$입니다.

따라서 $11 \div 5 = \boxed{} \dfrac{\boxed{}}{\boxed{}} = \dfrac{\boxed{}}{\boxed{}}$입니다.

4 관계있는 것끼리 선으로 이어 보세요.

$4 \div 3$ · $1 \div 3$ · $3 \div 4$ ·

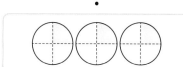 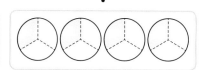

5 $6 \div 5$의 몫을 그림으로 나타내고, 분수로 나타내어 보세요.

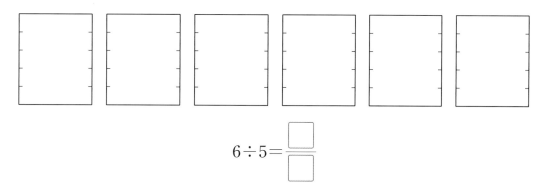

$$6 \div 5 = \frac{\boxed{}}{\boxed{}}$$

6 보기 와 같은 방법으로 나눗셈의 몫을 분수로 나타내어 보세요.

보기

$$9 \div 4 = 2 \cdots 1 \ \Rightarrow \ 2\frac{1}{4} = \frac{9}{4}$$

(1) $11 \div 3 =$ _____

(2) $10 \div 7 =$ _____

7 나눗셈의 몫을 분수로 바르게 나타낸 것을 모두 찾아 기호를 써 보세요.

> ㉠ $2 \div 3 = \dfrac{3}{2}$ ㉡ $5 \div 4 = \dfrac{5}{4}$
>
> ㉢ $11 \div 9 = \dfrac{11}{9}$ ㉣ $8 \div 7 = \dfrac{7}{8}$

(   )

8 나눗셈의 몫을 분수로 <u>잘못</u> 나타낸 것입니다. 바르게 나타내어 보세요.

(1) $10 \div 9 = \dfrac{9}{10}$ ➡ _____

(2) $5 \div 3 = \dfrac{3}{5}$ ➡ _____

9 큰 수를 작은 수로 나눈 몫을 분수로 나타내어 보세요.

(1)   5   8   ➡ (   )

(2)   11   7   ➡ (   )

10 □ 안에 알맞은 수를 써넣으세요.

(1) $5 \div \boxed{} = \dfrac{5}{8}$ (2) $9 \div \boxed{} = \dfrac{9}{11}$

11 빈칸에 나눗셈의 몫을 분수로 써넣으세요.

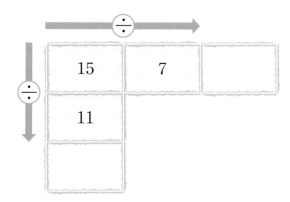

12 $12 \div 5$의 몫을 분수로 나타내면 $\dfrac{1}{5}$이 몇 개인 수가 되는지 구해 보세요.

(   )

13 한 병에 $1\dfrac{3}{5}$ L씩 들어 있는 우유가 5병 있습니다. 이 우유를 3일 동안 똑같이 나누어 마신다면 하루에 몇 L씩 마실 수 있는지 분수로 나타내어 보세요.

(   )

개념 ③ (분수)÷(자연수) 알아보기

- 분자가 자연수의 배수인 (분수)÷(자연수)의 계산

예 $\frac{4}{5} \div 2$의 계산

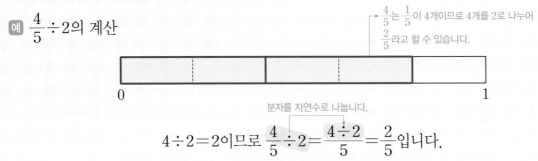

$\frac{4}{5}$ 는 $\frac{1}{5}$ 이 4개이므로 4개를 2로 나누어 $\frac{2}{5}$ 라고 할 수 있습니다.

0 ———————————————— 1

분자를 자연수로 나눕니다.

$4 \div 2 = 2$이므로 $\frac{4}{5} \div 2 = \frac{4 \div 2}{5} = \frac{2}{5}$ 입니다.

- 분자가 자연수의 배수가 아닌 (분수)÷(자연수)의 계산

예 $\frac{2}{3} \div 3$의 계산

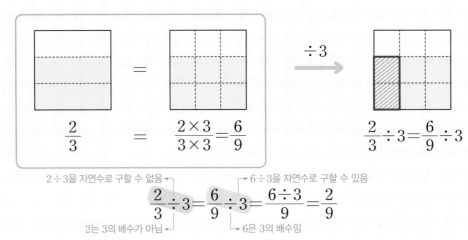

$\frac{2}{3}$ $=$ $\frac{2 \times 3}{3 \times 3} = \frac{6}{9}$ $\div 3$ $\frac{2}{3} \div 3 = \frac{6}{9} \div 3$

2÷3을 자연수로 구할 수 없음   6÷3을 자연수로 구할 수 있음

$\frac{2}{3} \div 3 = \frac{6}{9} \div 3 = \frac{6 \div 3}{9} = \frac{2}{9}$

2는 3의 배수가 아님   6은 3의 배수임

- (분수)÷(자연수)를 계산하는 방법
  ① 분자가 자연수의 배수일 때에는 분자를 자연수로 나눕니다.
  ② 분자가 자연수의 배수가 아닐 때에는 크기가 같은 분수 중에 분자가 자연수의 배수인 수로 바꾸어 계산합니다.

개념 O X

맞으면 ○표, 틀리면 ✕표 하세요.

(분수)÷(자연수)에서 분자가 자연수의 배수이면 분모를 자연수로 나눕니다.

1 수직선을 보고 □ 안에 알맞은 수를 써넣으세요.

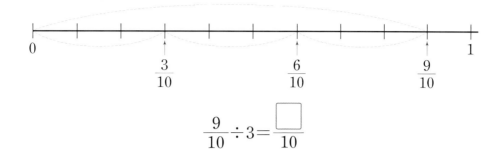

$$\frac{9}{10} \div 3 = \frac{\boxed{}}{10}$$

2 그림을 보고 □ 안에 알맞은 수를 써넣으세요.

(1)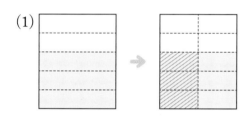

$$\frac{3}{5} \div 2 = \frac{\boxed{}}{\boxed{}}$$

(2)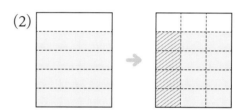

$$\frac{4}{5} \div 3 = \frac{\boxed{}}{\boxed{}}$$

3 □ 안에 알맞은 수를 써넣으세요.

(1) $\dfrac{8}{9} \div 2 = \dfrac{\boxed{} \div 2}{9} = \dfrac{\boxed{}}{9}$

(2) $\dfrac{2}{3} \div 5 = \dfrac{\boxed{}}{15} \div 5 = \dfrac{\boxed{} \div 5}{15} = \dfrac{\boxed{}}{15}$

4 계산해 보세요.

(1) $\dfrac{9}{11} \div 3$

(2) $\dfrac{10}{17} \div 5$

(3) $\dfrac{4}{9} \div 7$

(4) $\dfrac{7}{10} \div 8$

개념 4 (분수)÷(자연수)를 분수의 곱셈으로 나타내기

예 $\dfrac{3}{5} \div 2$의 계산

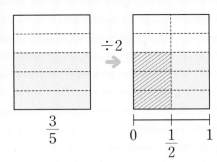

$\dfrac{3}{5}$

$\dfrac{3}{5} \div 2$의 몫은 $\dfrac{3}{5}$을 2등분한 것 중의 하나입니다.

이것은 $\dfrac{3}{5}$의 $\dfrac{1}{2}$이므로 $\dfrac{3}{5} \times \dfrac{1}{2}$입니다.

➡ $\dfrac{3}{5} \div 2 = \dfrac{3}{5} \times \dfrac{1}{2} = \dfrac{3}{10}$

• (분수)÷(자연수)를 분수의 곱셈으로 나타내어 계산하는 방법

÷(자연수)를 $\times \dfrac{1}{(자연수)}$로 바꾼 다음 곱하여 계산합니다.

개념 5 (대분수)÷(자연수) 알아보기

예 $1\dfrac{2}{5} \div 2$의 계산

방법 1 대분수를 가분수로 바꾸고 분수의 분자를 자연수로 나누어 계산하기

$1\dfrac{2}{5} \div 2 = \dfrac{7}{5} \div 2 = \dfrac{14}{10} \div 2$

대분수를 가분수로 바꿉니다.   크기가 같은 분수 중에 분자가 자연수의 배수인 수로 바꿉니다.

$= \dfrac{14 \div 2}{10} = \dfrac{7}{10}$

방법 2 대분수를 가분수로 바꾸고 나눗셈을 곱셈으로 나타내어 계산하기

$1\dfrac{2}{5} \div 2 = \dfrac{7}{5} \div 2 = \dfrac{7}{5} \times \dfrac{1}{2}$

대분수를 가분수로 바꿉니다.   나눗셈을 곱셈으로 나타냅니다.

$= \dfrac{7}{10}$

• (대분수)÷(자연수)를 계산하는 방법

① 대분수를 가분수로 바꾸고 분수의 분자를 자연수로 나누어 계산합니다.

② 대분수를 가분수로 바꾸고 나눗셈을 곱셈으로 나타내어 계산합니다.

개념 O X

맞으면 ○표, 틀리면 ✕표 하세요.

(분수)÷(자연수)에서 ÷(자연수)를 ✕(자연수)로 바꿉니다.

1 $\frac{3}{4} \div 2$의 몫을 구하려고 합니다. 그림을 보고 ☐ 안에 알맞은 수를 써넣으세요.

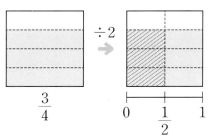

$\frac{3}{4} \div 2$의 몫은 $\frac{3}{4}$을 2등분한 것 중의 하나입니다.

이것은 $\frac{3}{4}$의 $\dfrac{1}{\boxed{}}$이므로 $\frac{3}{4} \times \dfrac{1}{\boxed{}}$입니다.

따라서 $\frac{3}{4} \div 2 = \frac{3}{4} \times \dfrac{1}{\boxed{}} = \dfrac{\boxed{}}{\boxed{}}$입니다.

2 관계있는 것끼리 선으로 이어 보세요.

$\dfrac{7}{9} \div 4$ ·

$\dfrac{11}{8} \div 3$ ·

$\dfrac{5}{6} \div 2$ ·

· $\dfrac{11}{8} \times \dfrac{1}{3}$ ·

· $\dfrac{7}{9} \times \dfrac{1}{4}$ ·

· $\dfrac{5}{6} \times \dfrac{1}{2}$ ·

· $\dfrac{5}{12}$

· $\dfrac{11}{24}$

· $\dfrac{7}{36}$

3 $5\frac{1}{7} \div 9$를 두 가지 방법으로 계산하려고 합니다. ☐ 안에 알맞은 수를 써넣으세요.

방법1 $5\dfrac{1}{7} \div 9 = \dfrac{\boxed{}}{7} \div 9 = \dfrac{\boxed{} \div 9}{7} = \dfrac{\boxed{}}{7}$

방법2 $5\dfrac{1}{7} \div 9 = \dfrac{\boxed{}}{7} \div 9 = \dfrac{\boxed{}}{7} \times \dfrac{1}{9} = \dfrac{\boxed{}}{7}$

나눗셈의 몫이 써 있는 붙임딱지를 붙여 이름을 완성해 보세요.

준비물 ◀ 붙임딱지

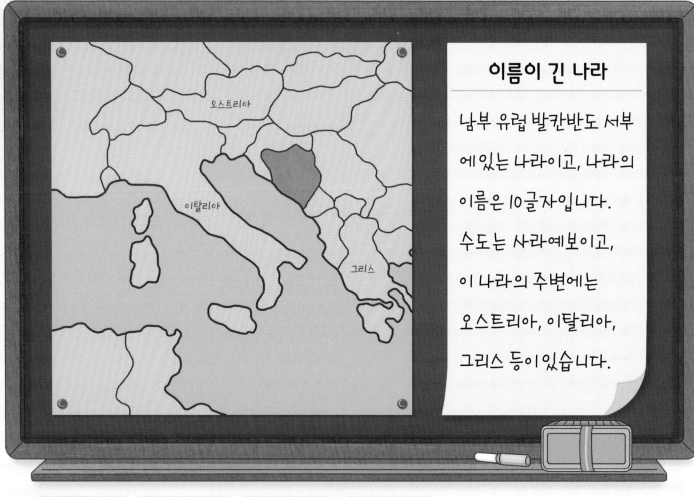

이름이 긴 나라

남부 유럽 발칸반도 서부에 있는 나라이고, 나라의 이름은 10글자입니다. 수도는 사라예보이고, 이 나라의 주변에는 오스트리아, 이탈리아, 그리스 등이 있습니다.

$\dfrac{14}{19} \div 2$	$\dfrac{12}{19} \div 6$	$\dfrac{18}{19} \div 3$	$\dfrac{15}{19} \div 5$

$\dfrac{20}{13} \div 4$	$\dfrac{56}{13} \div 7$	$\dfrac{24}{13} \div 8$	$\dfrac{30}{13} \div 5$	$\dfrac{36}{13} \div 9$	$\dfrac{21}{13} \div 3$

섬이 많은 나라

동남아시아에 있는 나라
이고, 나라의 이름은 5글
자, 수도의 이름은 4글자
입니다.
이 나라의 주변에는
베트남, 말레이시아,
필리핀 등이 있습니다.

$1\frac{5}{7} \div 3$ $2\frac{4}{7} \div 9$ $4\frac{2}{7} \div 6$ $3\frac{3}{7} \div 4$ $2\frac{1}{7} \div 5$

$3\frac{3}{11} \div 6$ $1\frac{3}{11} \div 2$ $2\frac{2}{11} \div 3$ $3\frac{7}{11} \div 8$

[1~6] 계산해 보세요.

1 $\dfrac{4}{9} \div 2$

2 $\dfrac{6}{11} \div 3$

3 $\dfrac{12}{13} \div 4$

4 $\dfrac{18}{23} \div 6$

5 $\dfrac{28}{29} \div 7$

6 $\dfrac{36}{37} \div 9$

[7~12] 계산해 보세요.

7 $\dfrac{3}{4} \div 2$

8 $\dfrac{5}{6} \div 4$

9 $\dfrac{3}{10} \div 5$

10 $\dfrac{7}{13} \div 6$

11 $\dfrac{11}{16} \div 3$

12 $\dfrac{12}{23} \div 7$

[13~18] 계산해 보세요.

13 $3\frac{3}{4} \div 5$

14 $2\frac{2}{9} \div 5$

15 $5\frac{5}{6} \div 7$

16 $1\frac{5}{7} \div 3$

17 $4\frac{4}{9} \div 8$

18 $7\frac{1}{5} \div 9$

[19~24] 계산해 보세요.

19 $2\frac{3}{7} \div 3$

20 $1\frac{2}{5} \div 3$

21 $7\frac{2}{3} \div 8$

22 $3\frac{7}{8} \div 5$

23 $2\frac{5}{9} \div 4$

24 $6\frac{5}{9} \div 9$

1

단원

1 $\dfrac{6}{7} \div 2$를 계산하는 방법을 알아보려고 합니다. 물음에 답하세요.

(1) $\dfrac{6}{7} \div 2$의 몫을 그림으로 나타내어 보세요.

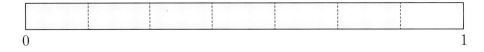

(2) □ 안에 알맞은 수를 써넣으세요.

$$\dfrac{6}{7} \div 2 = \dfrac{6 \div \boxed{}}{7} = \dfrac{\boxed{}}{7}$$

2 □ 안에 알맞은 수를 써넣으세요.

(1) $\dfrac{9}{8} \div 3 = \dfrac{9 \div \boxed{}}{8} = \dfrac{\boxed{}}{8}$

(2) $\dfrac{10}{7} \div 5 = \dfrac{\boxed{} \div \boxed{}}{7} = \dfrac{\boxed{}}{\boxed{}}$

3 나눗셈의 몫을 찾아 선으로 이어 보세요.

$\dfrac{3}{5} \div 2$ ·

$\dfrac{8}{9} \div 4$ ·

· $\dfrac{3}{10}$

· $\dfrac{5}{12}$

· $\dfrac{2}{9}$

4 계산해 보세요.

(1) $\dfrac{5}{4} \div 4$

(2) $\dfrac{11}{8} \div 6$

(3) $\dfrac{10}{7} \div 15$

(4) $\dfrac{14}{9} \div 12$

5 크기를 비교하여 ○ 안에 >, =, <를 알맞게 써넣으세요.

(1) $\dfrac{4}{9} \div 12$ ○ $\dfrac{2}{27}$

(2) $\dfrac{17}{15} \div 2$ ○ $\dfrac{7}{30}$

6 끈 $\dfrac{9}{14}$ m를 겹치지 않게 모두 사용하여 다음과 같은 정삼각형을 만들었습니다. 이 정삼각형의 한 변의 길이는 몇 m인지 기약분수로 나타내어 보세요.

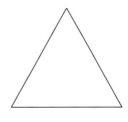

(   )

7 $1\frac{2}{5} \div 4$를 두 가지 방법으로 계산하려고 합니다. ☐ 안에 알맞은 수를 써넣으세요.

방법1 $1\frac{2}{5} \div 4 = \dfrac{\boxed{}}{5} \div 4 = \dfrac{\boxed{}}{20} \div 4 = \dfrac{\boxed{} \div 4}{20} = \dfrac{\boxed{}}{20}$

방법2 $1\frac{2}{5} \div 4 = \dfrac{\boxed{}}{5} \div 4 = \dfrac{\boxed{}}{5} \times \dfrac{1}{\boxed{}} = \dfrac{\boxed{}}{\boxed{}}$

8 잘못 계산한 부분을 찾아 바르게 계산해 보세요.

$$2\frac{4}{5} \div 2 = 2\frac{4 \div 2}{5} = 2\frac{2}{5}$$

바른 계산

9 ☐ 안에 알맞은 기약분수를 써넣으세요.

(1)

$3\frac{3}{7}$ → $\div 4$ → ☐

(2)

$7\frac{1}{5}$ → $\div 8$ → ☐

10 가장 작은 수를 가장 큰 수로 나눈 몫을 기약분수로 나타내어 보세요.

$$5 \qquad 6\frac{7}{8} \qquad 4\frac{3}{8} \qquad 7$$

(   )

11 넓이가 $5\frac{4}{5}$ cm²이고 가로가 3 cm인 직사각형이 있습니다. 이 직사각형의 세로는 몇 cm인지 구해 보세요.

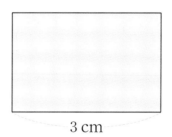

3 cm

(   )

12 쌀 $5\frac{5}{6}$ kg을 매일 같은 양씩 7일 동안 모두 먹었다면 하루에 먹은 쌀은 몇 kg인지 기약분수로 나타내어 보세요.

(   )

개념 **확인평가**

1 그림을 보고 □ 안에 알맞은 수를 써넣으세요.

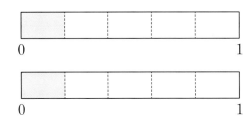

$$2 \div 5 = \frac{\boxed{}}{\boxed{}}$$

2 □ 안에 알맞은 수를 써넣으세요.

(1) $\dfrac{10}{17} \div 5 = \dfrac{\boxed{} \div 5}{17} = \dfrac{\boxed{}}{\boxed{}}$

(2) $\dfrac{4}{5} \div 6 = \dfrac{\boxed{}}{15} \div 6 = \dfrac{\boxed{} \div 6}{15} = \dfrac{\boxed{}}{15}$

3 나눗셈을 곱셈으로 바르게 나타낸 것에 ◯표 하세요.

$$\frac{5}{9} \div 7 = \frac{5}{9} \times \frac{1}{7}$$

(   )

$$\frac{8}{7} \div 3 = \frac{7}{8} \times \frac{1}{3}$$

(   )

4 $\dfrac{4}{5} \div 3$을 그림으로 나타내고, 몫을 분수로 나타내어 보세요.

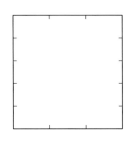

(   )

5 다음 중 $\dfrac{5}{8} \div 2$와 계산 결과가 같은 것은 어느 것일까요? ……………………………… (   )

① $\dfrac{5}{8} \times 2$

② $\dfrac{5}{8 \div 2}$

③ $\dfrac{5 \times 2}{8 \times 2}$

④ $\dfrac{5}{8} \div \dfrac{1}{2}$

⑤ $\dfrac{5}{8} \times \dfrac{1}{2}$

6 나눗셈의 몫이 1보다 큰 것에 ◯표 하세요.

$11 \div 15$		$22 \div 17$
( )		( )

7 $2\dfrac{5}{8} \div 3$을 두 가지 방법으로 계산해 보세요.

방법1 _____

방법2 _____

8 나눗셈을 하여 기약분수로 나타내어 보세요.

(1) $\dfrac{8}{9} \div 10$

(2) $\dfrac{18}{5} \div 6$

(3) $3\dfrac{3}{4} \div 5$

(4) $6\dfrac{2}{3} \div 8$

9 넓이가 $9\dfrac{3}{5}$ cm²인 평행사변형이 있습니다. 이 평행사변형의 높이는 몇 cm인지 기약분수로 나타내어 보세요.

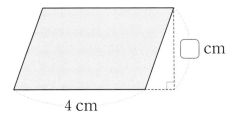

$\square$ cm

4 cm

(   )

10 한 병에 $\dfrac{6}{5}$ L씩 들어 있는 주스가 5병 있습니다. 이 주스를 일주일 동안 똑같이 나누어 마신다면 하루에 몇 L씩 마실 수 있는지 분수로 나타내어 보세요.

(   )

11 수 카드 3장을 한 번씩 모두 사용하여 계산 결과가 가장 작은 (분수)÷(자연수)의 나눗셈식을 만들고 계산해 보세요.

식 _____

답 _____

12 $\square$ 안에 들어갈 수 있는 자연수를 모두 구해 보세요.

$$\dfrac{\square}{9} < 1\dfrac{2}{3} \div 3$$

(   )

2 각기둥과 각뿔

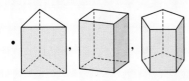 **각기둥 알아보기**

 , 등과 같은 입체도형을 각기둥이라고 합니다.

각기둥의 특징

① 서로 평행한 두 면이 있습니다.
② 서로 평행한 두 면이 합동입니다.
③ 서로 평행한 두 면이 다각형입니다.

• 겨냥도를 그릴 때 보이는 모서리는 실선으로, 보이지 않는 모서리는 점선으로 나타냅니다.

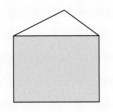 ➡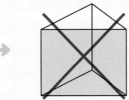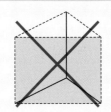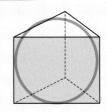

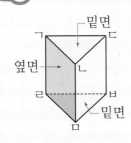 **각기둥의 밑면과 옆면**

밑면
옆면
밑면

• 면 ㄱㄴㄷ, 면 ㄹㅁㅂ과 같이 서로 평행하고 합동인 두 면을 밑면이라고 합니다.
  이때 두 밑면은 나머지 면들과 모두 수직으로 만납니다.
• 면 ㄱㄹㅁㄴ, 면 ㄴㅁㅂㄷ, 면 ㄷㅂㄹㄱ과 같이 두 밑면과 만나는 면을 옆면이라고 합니다.
  이때 각기둥의 옆면은 모두 직사각형입니다.

개념 O X

🎓 각기둥이면 ○표, 각기둥이 아니면 ✕표 하세요.

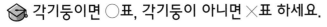

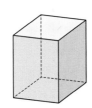  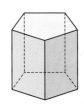

[1~2] 입체도형을 보고 물음에 답하세요.

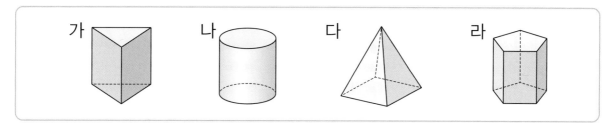

1 서로 평행한 두 면이 있는 입체도형을 모두 찾아 기호를 써 보세요.

(   )

2 각기둥을 모두 찾아 기호를 써 보세요.

(   )

3 각기둥의 겨냥도를 완성해 보세요.

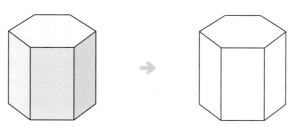

4 각기둥에서 두 밑면을 찾아 색칠해 보세요.

(1)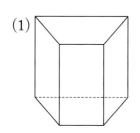

(2)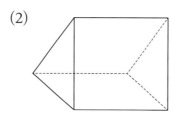

개념 ③ 각기둥의 이름

각기둥은 밑면의 모양에 따라 삼각기둥, 사각기둥, 오각기둥⋯⋯이라고 합니다.

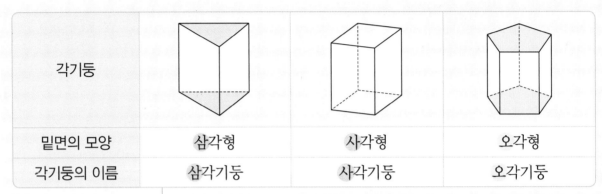

각기둥			
밑면의 모양	삼각형	사각형	오각형
각기둥의 이름	삼각기둥	사각기둥	오각기둥

↳ 밑면의 모양이 ■각형인 각기둥의 이름은 ■각기둥입니다.

개념 ④ 각기둥의 구성 요소

각기둥에서 면과 면이 만나는 선분을 모서리라 하고, 모서리와 모서리가 만나는 점을 꼭짓점이라고 하며, 두 밑면 사이의 거리를 높이라고 합니다.

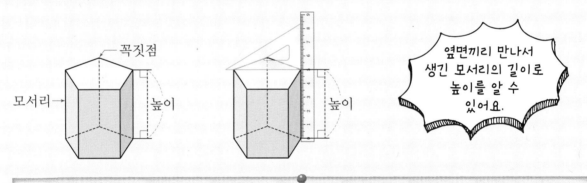

옆면끼리 만나서 생긴 모서리의 길이로 높이를 알 수 있어요.

각기둥의 높이는 합동인 두 밑면의 대응하는 꼭짓점을 이은 모서리의 길이와 같습니다.

개념 O X

🎓 각기둥의 이름을 바르게 설명한 사람에게 ○표 하세요.

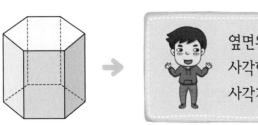 →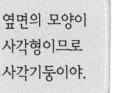

옆면의 모양이 사각형이므로 사각기둥이야.

밑면의 모양이 육각형이므로 육각기둥이야.

1 각기둥의 이름을 찾아 선으로 이어 보세요.

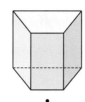 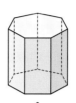

·   ·   ·

사각기둥   육각기둥   칠각기둥

2 보기 에서 알맞은 말을 찾아 □ 안에 써넣으세요.

보기
| 높이 | 꼭짓점 | 모서리 | 밑면 | 옆면 |

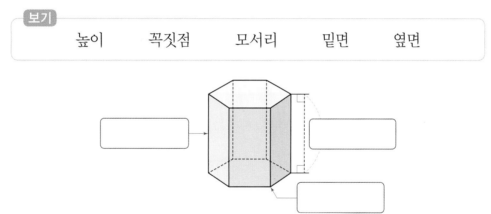

3 각기둥의 겨냥도에서 모서리는 파란색으로, 꼭짓점은 빨간색으로 모두 표시해 보세요.

(1)
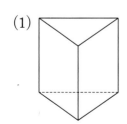

(2)
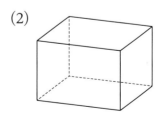

특산물 포장할 상자 찾기

준비물 붙임딱지

지역 특산물을 포장할 각기둥 모양 상자에 대한 설명입니다.
알맞은 상자를 붙이고 표를 완성해 보세요.

꼭짓점의 수(개)	
모서리의 수(개)	

한 밑면의 변은 3개야.

인삼

금산

꼭짓점의 수(개)	
모서리의 수(개)	

밑면의 모양이 오각형이야.

굴비

영광

보성

꼭짓점의 수(개)	
모서리의 수(개)	

옆면이 모두 6개야.

녹차

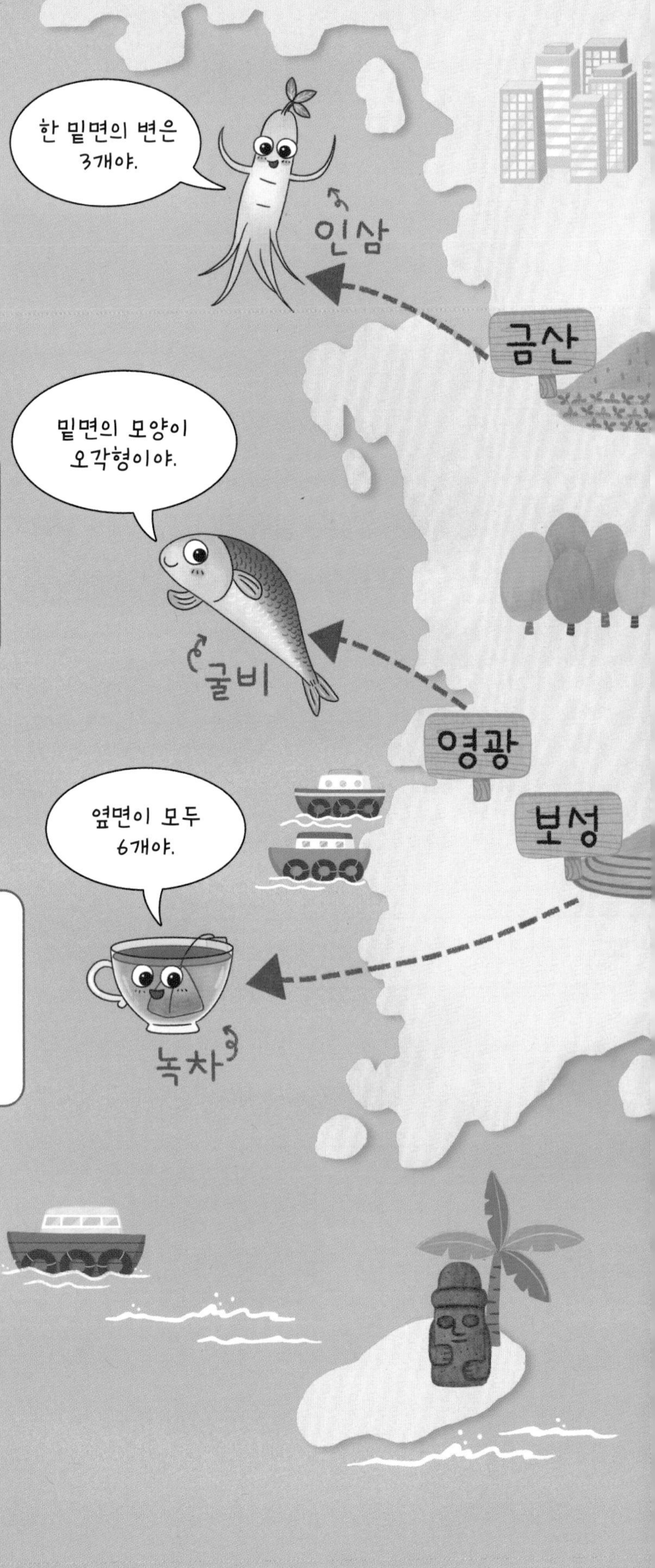

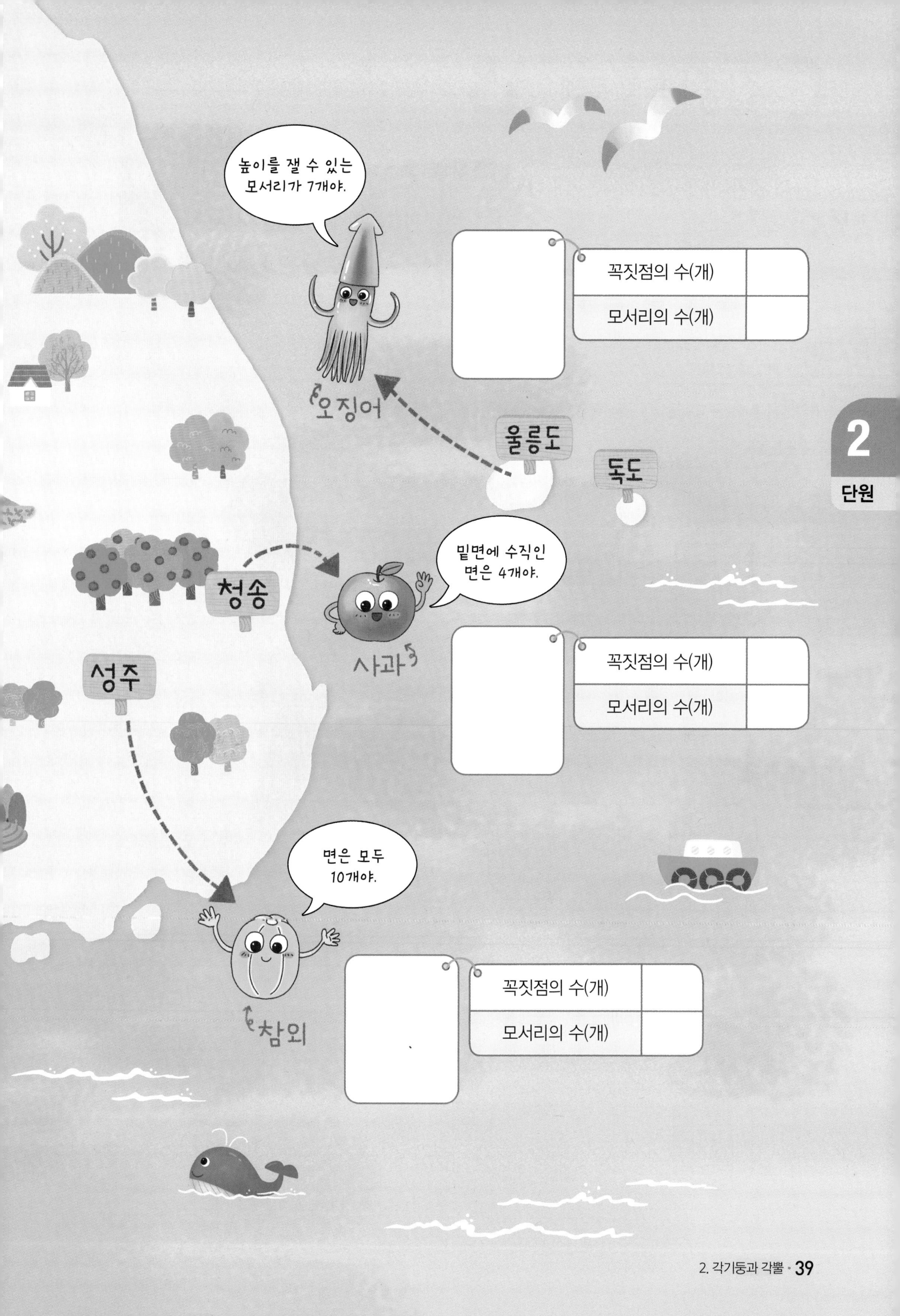

높이를 잴 수 있는 모서리가 7개야.

꼭짓점의 수(개)	
모서리의 수(개)	

오징어

울릉도

독도

2 단원

밑면에 수직인 면은 4개야.

청송

사과

꼭짓점의 수(개)	
모서리의 수(개)	

성주

면은 모두 10개야.

참외

꼭짓점의 수(개)	
모서리의 수(개)	

집중! 드릴 문제

[1~8] 각기둥이면 ○표, 아니면 ✕표 하세요.

1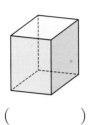
(   )

2
(   )

[9~12] 각기둥을 보고 밑면의 모양과 각기둥의 이름을 차례로 써 보세요.

9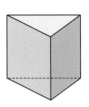

밑면의 모양	
각기둥의 이름	

3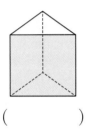
(   )

4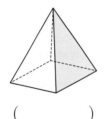
(   )

10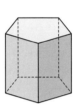

밑면의 모양	
각기둥의 이름	

5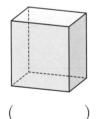
(   )

6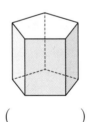
(   )

11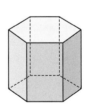

밑면의 모양	
각기둥의 이름	

7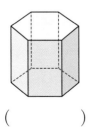
(   )

8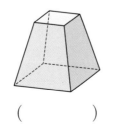
(   )

12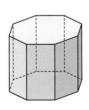

밑면의 모양	
각기둥의 이름	

[13~16] 각기둥을 보고 한 밑면의 변의 수와 모서리의 수를 차례로 써 보세요.

13

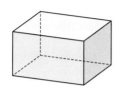

한 밑면의 변의 수(개)	
모서리의 수(개)	

14

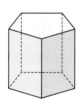

한 밑면의 변의 수(개)	
모서리의 수(개)	

15

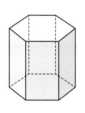

한 밑면의 변의 수(개)	
모서리의 수(개)	

16

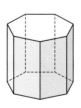

한 밑면의 변의 수(개)	
모서리의 수(개)	

[17~20] 각기둥을 보고 한 밑면의 변의 수와 꼭짓점의 수를 차례로 써 보세요.

17

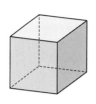

한 밑면의 변의 수(개)	
꼭짓점의 수(개)	

18

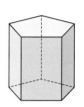

한 밑면의 변의 수(개)	
꼭짓점의 수(개)	

19

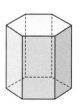

한 밑면의 변의 수(개)	
꼭짓점의 수(개)	

20

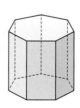

한 밑면의 변의 수(개)	
꼭짓점의 수(개)	

1 서로 평행하고 합동인 두 다각형이 있는 입체도형 모양의 물건에 ○표 하세요.

(　　　　)　　　　(　　　　)　　　　(　　　　)　　　　(　　　　)

2 각기둥을 보고 □ 안에 각 부분의 이름을 써넣으세요.

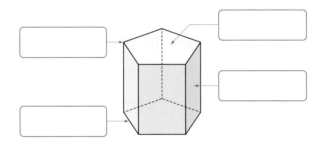

3 각기둥을 보고 물음에 답하세요.

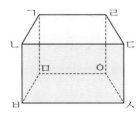

(1) 밑면을 모두 찾아 써 보세요.

_____

(2) 옆면을 모두 찾아 써 보세요.

_____

4 각기둥의 밑면을 모두 찾아 색칠해 보세요.

(1)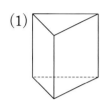

(2)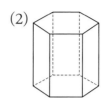

5 각기둥을 보고 밑면에 수직인 면은 몇 개인지 써 보세요.

(1)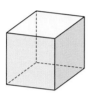

(　　　　　　　　　)

(2)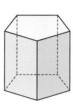

(　　　　　　　　　)

6 알맞은 말에 ○표 하세요.

(1) 각기둥의 밑면은 (1개 , 2개)입니다.

(2) 각기둥의 옆면은 모두 (삼각형 , 직사각형)입니다.

7 각기둥을 보고 빈칸에 알맞은 말을 써넣으세요.

입체도형		
밑면의 모양		
각기둥의 이름		

8 각기둥에서 두 밑면 사이의 거리를 잴 수 있는 모서리는 몇 개일까요?

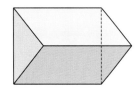

( )

9 색칠한 면이 한 밑면이라고 할 때 각기둥의 높이를 잴 수 있는 모서리를 모두 찾아 기호를 써 보세요.

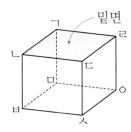

| ㉠ 선분 ㄱㄴ | ㉡ 선분 ㄴㅂ | ㉢ 선분 ㄹㅇ |
| ㉣ 선분 ㅂㅅ | ㉤ 선분 ㄷㄹ | ㉥ 선분 ㄷㅅ |

( )

10 각기둥의 겨냥도를 완성해 보세요.

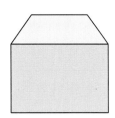 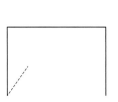

11 각기둥의 높이는 몇 cm일까요?

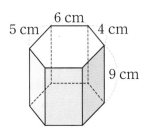

( )

12 각기둥을 보고 물음에 답하세요.

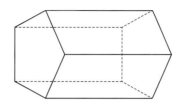

(1) 각기둥의 이름을 써 보세요.

(   )

(2) 모서리는 파란색으로, 꼭짓점은 빨간색으로 표시해 보세요.

2 단원

[13~14] 각기둥을 보고 물음에 답하세요.

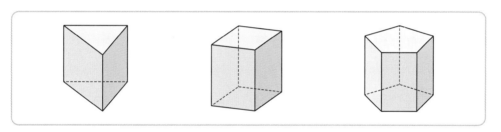

13 표를 완성해 보세요.

도형	한 밑면의 변의 수(개)	꼭짓점의 수(개)	면의 수(개)	모서리의 수(개)
삼각기둥				
사각기둥				
오각기둥				

14 위 **13**의 표를 보고 규칙을 찾아 ☐ 안에 알맞은 수를 써넣으세요.

(1) (각기둥의 꼭짓점의 수)＝(한 밑면의 변의 수)×☐

(2) (각기둥의 면의 수)＝(한 밑면의 변의 수)＋☐

(3) (각기둥의 모서리의 수)＝(한 밑면의 변의 수)×☐

교과서 개념 잡기

개념 5 각기둥의 전개도 알아보기

각기둥의 모서리를 잘라서 평면 위에 펼쳐 놓은 그림을 각기둥의 전개도라고 합니다.

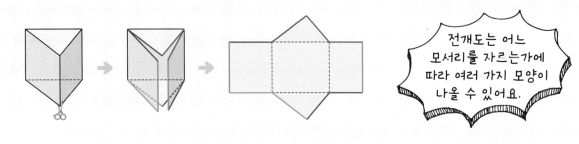

전개도는 어느 모서리를 자르는가에 따라 여러 가지 모양이 나올 수 있어요.

① 합동인 2개의 밑면과 직사각형 모양의 옆면이 있습니다.
② 전개도를 접었을 때 맞닿는 선분의 길이는 같습니다.

개념 6 각기둥의 전개도 그려 보기

각기둥의 전개도를 그릴 때 잘린 모서리는 실선으로, 잘리지 않은 모서리는 점선으로 그립니다.

예

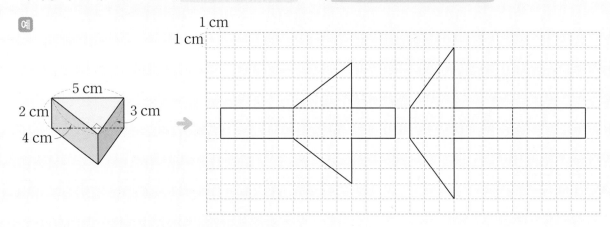

개념 O X

🎓 전개도를 접어 만든 도형을 바르게 설명한 사람에게 ○표 하세요.

밑면의 모양이 삼각형이므로 삼각기둥이야.

옆면의 모양이 사각형이므로 사각기둥이야.

1 전개도를 접어 삼각기둥을 만들 수 있으면 ○표, 만들 수 없으면 ✕표 하세요.

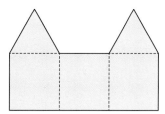

(   )

2 전개도를 접어 만든 각기둥의 이름을 써 보세요.

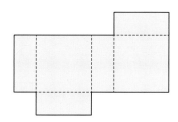

(   )

3 전개도를 접어서 각기둥을 만들었습니다. ☐ 안에 알맞은 수를 써넣으세요.

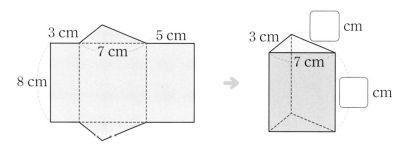

4 사각기둥의 전개도를 완성해 보세요.

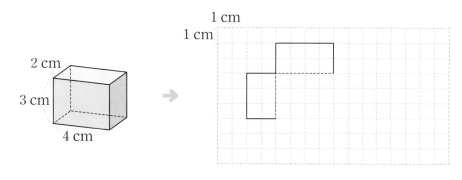

  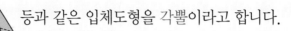

개념 7 각뿔 알아보기

등과 같은 입체도형을 각뿔이라고 합니다.

┌→ 각뿔을 놓았을 때 바닥에 놓인 면

• 면 ㄴㄷㄹㅁ과 같은 면을 밑면이라고 합니다.
• 면 ㄱㄴㄷ, 면 ㄱㄷㄹ, 면 ㄱㄹㅁ, 면 ㄱㅁㄴ과 같이 밑면과 만나는 면을 옆면이라고 합니다.
이때 각뿔의 옆면은 모두 삼각형입니다.

개념 8 각뿔의 이름

각뿔은 밑면의 모양에 따라 삼각뿔, 사각뿔, 오각뿔……이라고 합니다.

각뿔			
밑면의 모양	삼각형	사각형	오각형
각뿔의 이름	삼각뿔	사각뿔	오각뿔

└→ 밑면의 모양이 ■각형인 각뿔의 이름은 ■각뿔입니다.

개념 9 각뿔의 구성 요소

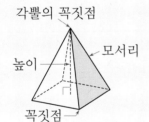

각뿔에서 면과 면이 만나는 선분을 모서리라 하고, 모서리와 모서리가 만나는 점을 꼭짓점이라고 합니다. 꼭짓점 중에서도 옆면이 모두 만나는 점을 각뿔의 꼭짓점이라 하고, 각뿔의 꼭짓점에서 밑면에 수직인 선분의 길이를 높이라고 합니다.

개념 OX

각뿔에 대한 설명이 맞으면 ○표, 틀리면 ╳표 하세요.

| 밑면은 다각형입니다. | 옆면은 모두 삼각형입니다. | 밑면은 1개입니다. |

[1~2] 입체도형을 보고 물음에 답하세요.

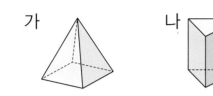 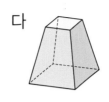

가　　나　　다　　라

1 밑면이 다각형인 입체도형을 모두 찾아 기호를 써 보세요.

(　　　　　　　　　　)

2 각뿔을 찾아 기호를 써 보세요.

(　　　　　　　　　　)

3 각뿔의 밑면을 찾아 색칠하고, 옆면은 모두 몇 개인지 구해 보세요

(1)

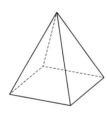

옆면의 수(개)

(2)

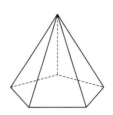

옆면의 수(개)

바닥에 놓인 면을 밑면이라 하고, 밑면과 만나는 면을 옆면이라고 해.

4 보기 에서 알맞은 말을 찾아 □ 안에 써넣으세요.

보기

모서리　　각뿔의 꼭짓점　　높이　　밑면　　옆면

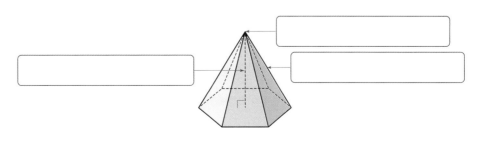

준비물 붙임딱지

서울의 한강 주변 일부를 나타낸 것입니다. 각 건물의 이름표와 같은 모양을 밑면으로 하는 각기둥을 찾아 붙이고, 붙인 각기둥의 전개도를 그려 보세요.

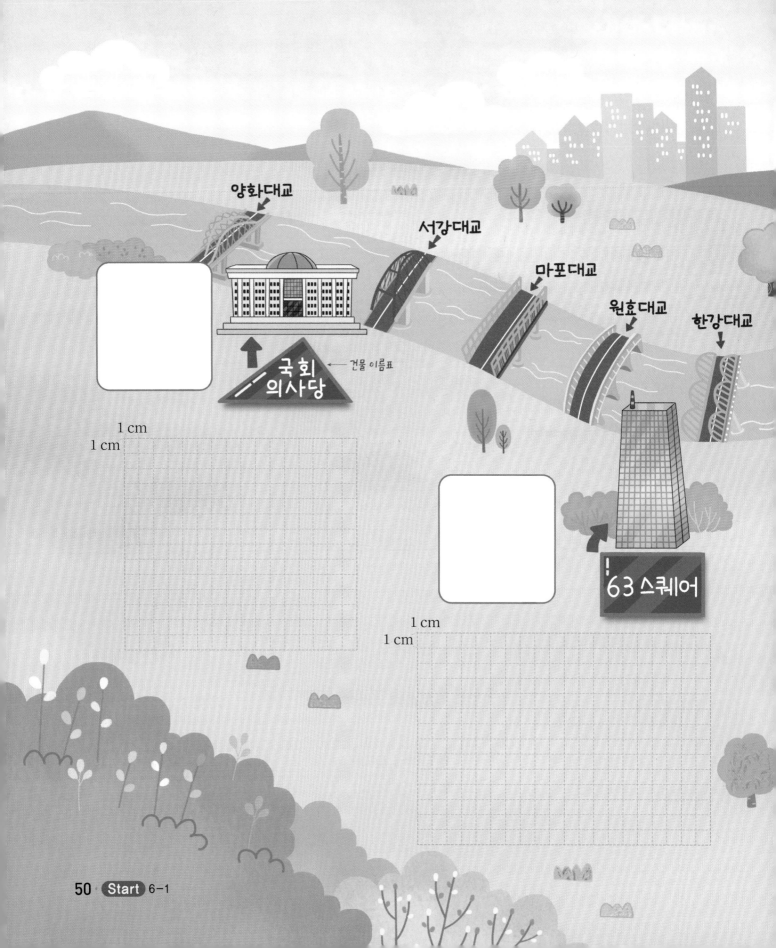

양화대교

서강대교

마포대교

원효대교

한강대교

국회
의사당 ← 건물 이름표

1 cm
1 cm

63 스퀘어

1 cm
1 cm

[1~8] 각뿔이면 ○표, 아니면 ×표 하세요.

1

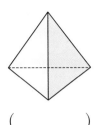

( )

2

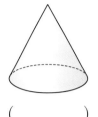

( )

3

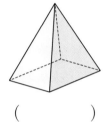

( )

4

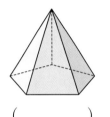

( )

5

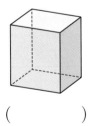

( )

6

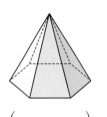

( )

7

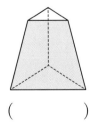

( )

8

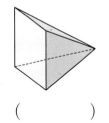

( )

[9~12] 각뿔을 보고 밑면의 모양과 각뿔의 이름을 차례로 써 보세요.

9

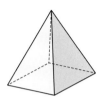

밑면의 모양	
각뿔의 이름	

10

밑면의 모양	
각뿔의 이름	

11

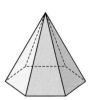

밑면의 모양	
각뿔의 이름	

12

밑면의 모양	
각뿔의 이름	

[13~16] 각뿔을 보고 밑면의 변의 수와 모서리의 수를 차례로 써 보세요.

13

밑면의 변의 수(개)	
모서리의 수(개)	

14

밑면의 변의 수(개)	
모서리의 수(개)	

15

밑면의 변의 수(개)	
모서리의 수(개)	

16

밑면의 변의 수(개)	
모서리의 수(개)	

[17~20] 각뿔을 보고 밑면의 변의 수와 꼭짓점의 수를 차례로 써 보세요.

17

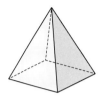

밑면의 변의 수(개)	
꼭짓점의 수(개)	

18

밑면의 변의 수(개)	
꼭짓점의 수(개)	

19

밑면의 변의 수(개)	
꼭짓점의 수(개)	

20

밑면의 변의 수(개)	
꼭짓점의 수(개)	

1 각뿔을 보고 □ 안에 각 부분의 이름을 써넣으세요.

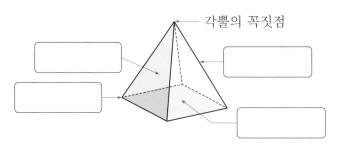

각뿔의 꼭짓점

2 각뿔을 보고 물음에 답하세요.

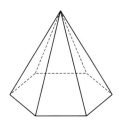

(1) 밑면을 찾아 색칠해 보세요.

(2) 각뿔에서 밑면과 만나는 면을 무엇이라고 할까요?

(   )

(3) 밑면과 만나는 면은 모두 몇 개일까요?

(   )

3 각뿔을 보고 물음에 답하세요.

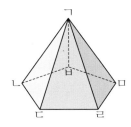

(1) 밑면을 찾아 써 보세요.

(   )

(2) 옆면을 모두 찾아 써 보세요.

_____

_____

4 각뿔을 보고 밑면과 옆면의 모양에 각각 ◯표 하세요.

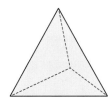

밑면	삼각형	직사각형
옆면	삼각형	직사각형

5 사각뿔의 높이를 재는 방법을 바르게 생각한 사람의 이름을 써 보세요.

준우   예지   은주

(   )

2
단원

6 전개도를 접어 만든 각기둥의 이름을 써 보세요.

(1)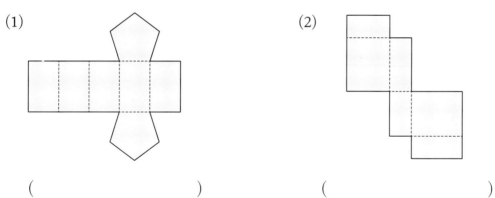

(   )

(2)

(   )

7 왼쪽 각기둥을 보고 전개도를 그린 것입니다. ☐ 안에 알맞은 수를 써넣으세요.

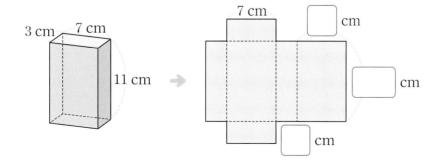

3 cm   7 cm

11 cm

7 cm   ☐ cm

☐ cm

☐ cm

8 전개도를 접었을 때 선분 ㄱㅎ과 맞닿는 선분을 찾아 써 보세요.

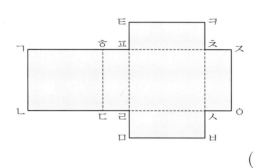

(   )

9 사각기둥의 전개도를 완성해 보세요.

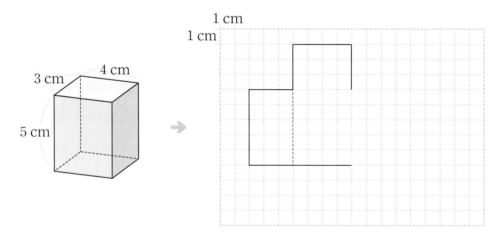

10 삼각기둥의 전개도를 완성해 보세요.

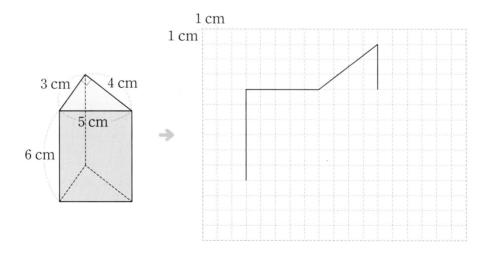

11 육각기둥의 겨냥도를 보고 육각기둥의 전개도를 완성해 보세요.

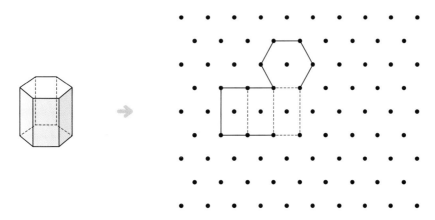

[12~13] 각뿔을 보고 물음에 답하세요.

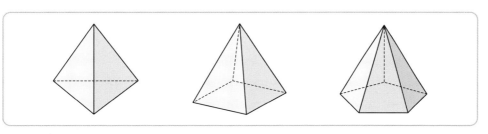

12 표를 완성해 보세요.

도형	밑면의 변의 수(개)	꼭짓점의 수(개)	면의 수(개)	모서리의 수(개)
삼각뿔				
사각뿔				
오각뿔				

13 위 12의 표를 보고 규칙을 찾아 ☐ 안에 알맞은 수를 써넣으세요.

(1) (각뿔의 꼭짓점의 수)＝(밑면의 변의 수)＋☐

(2) (각뿔의 면의 수)＝(밑면의 변의 수)＋☐

(3) (각뿔의 모서리의 수)＝(밑면의 변의 수)×☐

[1~2] 입체도형을 보고 물음에 답하세요.

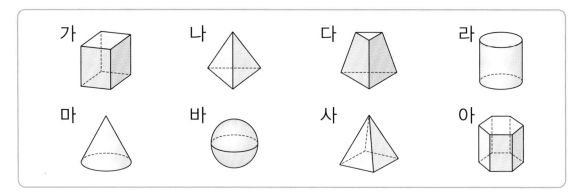

1 각기둥을 모두 찾아 기호를 써 보세요.

( )

2 각뿔을 모두 찾아 기호를 써 보세요.

( )

3 각기둥의 겨냥도를 바르게 그린 사람의 이름을 써 보세요.

( )

4 각기둥을 보고 밑면을 모두 찾아 써 보세요.

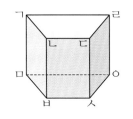

밑면

5 밑면의 모양이 오른쪽 벌집의 모양과 같은 각기둥의 이름을 써 보세요.

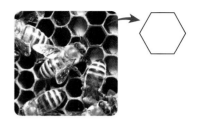

(   )

6 알맞은 말에 ◯표 하세요.

(1) 각뿔의 밑면은 (1개 , 2개)입니다.

(2) 각뿔의 옆면은 모두 (삼각형 , 사각형)입니다.

7 각뿔의 높이는 몇 cm일까요?

(1)

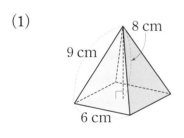

8 cm
9 cm
6 cm

(   )

(2)

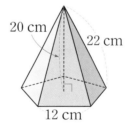

20 cm   22 cm
12 cm

(   )

8 각뿔의 겨냥도에서 모서리는 파란색으로, 꼭짓점은 빨간색으로 표시한 다음 모서리, 꼭짓점이 각각 몇 개인지 구해 보세요.

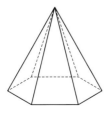

모서리의 수(개)	
꼭짓점의 수(개)	

9 전개도를 접어 만든 각기둥의 이름을 써 보세요.

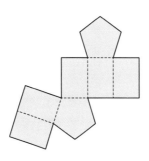

(   )

10 다음 입체도형이 각뿔이 <u>아닌</u> 이유를 써 보세요.

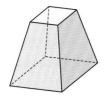

이유 _____

_____

11 사각기둥의 전개도를 완성해 보세요.

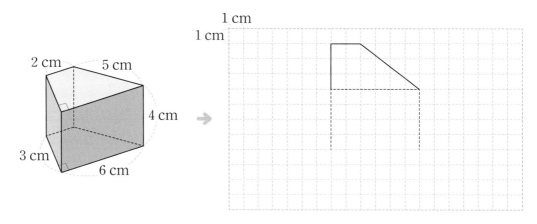

12 표를 완성해 보세요.

도형	밑면의 모양	꼭짓점의 수(개)	면의 수(개)	모서리의 수(개)
칠각기둥				
칠각뿔				

3 소수의 나눗셈

교과서 개념 잡기

개념 ① 자연수의 나눗셈을 이용한 (소수)÷(자연수) 알아보기

예 286÷2를 이용하여 28.6÷2와 2.86÷2를 계산하기

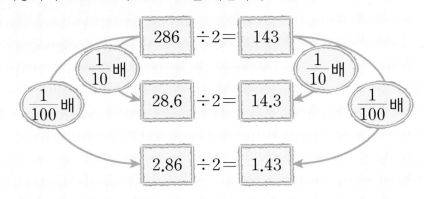

나누는 수가 같고 나누어지는 수가 $\frac{1}{10}\left(\frac{1}{100}\right)$배가 되면 몫도 $\frac{1}{10}\left(\frac{1}{100}\right)$배가 되므로 소수점이 왼쪽으로 한 칸(두 칸) 이동합니다.

개념 ② 각 자리에서 나누어떨어지지 않는 (소수)÷(자연수) 알아보기

예 14.72÷4를 계산하기

① 분수의 나눗셈으로 바꾸어 계산하기

$$14.72 \div 4 = \frac{1472}{100} \div 4 = \frac{1472 \div 4}{100}$$

$$= \frac{368}{100} = 3.68$$

② 1472÷4를 이용하여 계산하기

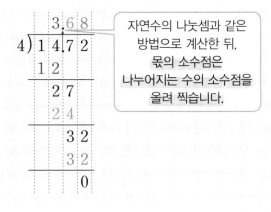

③ 세로로 계산하기

자연수의 나눗셈과 같은 방법으로 계산한 뒤, 몫의 소수점은 나누어지는 수의 소수점을 올려 찍습니다.

개념 O X

🎓 639÷3=213입니다. 63.9÷3의 몫을 바르게 나타낸 사람에게 ○표 하세요.

1 자연수의 나눗셈을 이용하여 □ 안에 알맞은 수를 써넣으세요.

(1)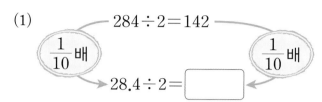

$$284 \div 2 = 142$$

$\frac{1}{10}$배 ⟶ $28.4 \div 2 =$ ⬚ ⟵ $\frac{1}{10}$배

(2)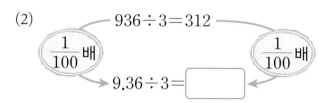

$$936 \div 3 = 312$$

$\frac{1}{100}$배 ⟶ $9.36 \div 3 =$ ⬚ ⟵ $\frac{1}{100}$배

2 소수의 나눗셈을 분수의 나눗셈으로 바꾸어 계산하려고 합니다. □ 안에 알맞은 수를 써넣으세요.

$$67.16 \div 4 = \frac{\boxed{}}{100} \div 4 = \frac{\boxed{} \div 4}{100} = \frac{\boxed{}}{100} = \boxed{}$$

3 자연수의 나눗셈을 이용하여 □ 안에 알맞은 수를 써넣으세요.

(1) $3795 \div 5 = 759$ ➡ $379.5 \div 5 =$ ⬚

(2) $2412 \div 9 = 268$ ➡ $24.12 \div 9 =$ ⬚

4 □ 안에 알맞은 수를 써넣으세요.

(1)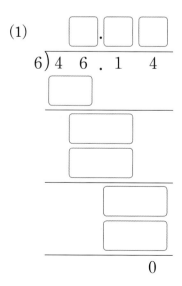

(2)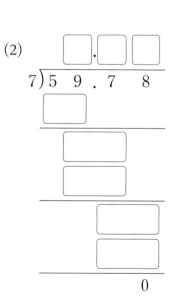

개념 ③ 몫이 1보다 작은 소수인 (소수)÷(자연수) 알아보기

예 2.34÷3을 계산하기

① 분수의 나눗셈으로 바꾸어 계산하기

$$2.34 \div 3 = \frac{234}{100} \div 3 = \frac{234 \div 3}{100}$$
$$= \frac{78}{100} = 0.78$$

② 234÷3을 이용하여 계산하기

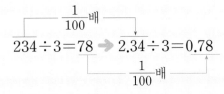

③ 세로로 계산하기

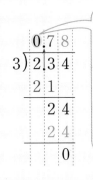

자연수의 나눗셈과 같은 방법으로 계산한 뒤, 몫의 소수점은 나누어지는 수의 소수점을 올려 찍습니다. 이때, 몫의 자연수 부분이 비어 있을 경우 일의 자리에 ☆0을 씁니다.

개념 ④ 소수점 아래 0을 내려 계산해야 하는 (소수)÷(자연수) 알아보기

예 7.5÷2를 계산하기

① 분수의 나눗셈으로 바꾸어 계산하기

$$7.5 \div 2 = \frac{750}{100} \div 2 = \frac{750 \div 2}{100}$$

$\frac{75}{10} \div 2$에서 75÷2가 자연수로 나누어떨어지지 않으므로 분모가 100인 분수로 나타냅니다.

$$= \frac{375}{100} = 3.75$$

② 750÷2를 이용하여 계산하기

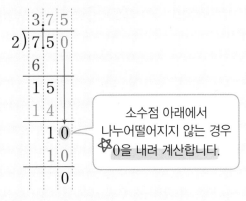

③ 세로로 계산하기

소수점 아래에서 나누어떨어지지 않는 경우 ☆0을 내려 계산합니다.

개념 O X

🎓 175÷5=35입니다. 1.75÷5의 몫을 바르게 나타낸 사람에게 ○표 하세요.

1 소수의 나눗셈을 분수의 나눗셈으로 바꾸어 계산하려고 합니다. □ 안에 알맞은 수를 써넣으세요.

$$4.83 \div 7 = \frac{\boxed{}}{100} \div 7 = \frac{\boxed{} \div 7}{100} = \frac{\boxed{}}{100} = \boxed{}$$

2 자연수의 나눗셈을 이용하여 □ 안에 알맞은 수를 써넣으세요.

(1) $1470 \div 6 = 245$ ➡ $14.7 \div 6 = \boxed{}$

(2) $3720 \div 8 = 465$ ➡ $37.2 \div 8 = \boxed{}$

3 □ 안에 알맞은 수를 써넣으세요.

(1)
```
    □.□□
3) 2.9 1
   ┌─────┐
   └─────┘
   ┌─────┐
   └─────┘
   ───────
        0
```

(2)
```
    □.□□
9) 6.1 2
   ┌─────┐
   └─────┘
   ┌─────┐
   └─────┘
   ───────
        0
```

4 나머지가 0이 될 때까지 계산해 보세요.

(1)
```
     1.5
5) 7.9
   5
   ───
   2 9
   2 5
```

(2)
```
     2.3
4) 9.4
   8
   ───
   1 4
   1 2
```

나눗셈의 몫이 써 있는 붙임딱지를 붙여 꼬치를 완성해 보세요.

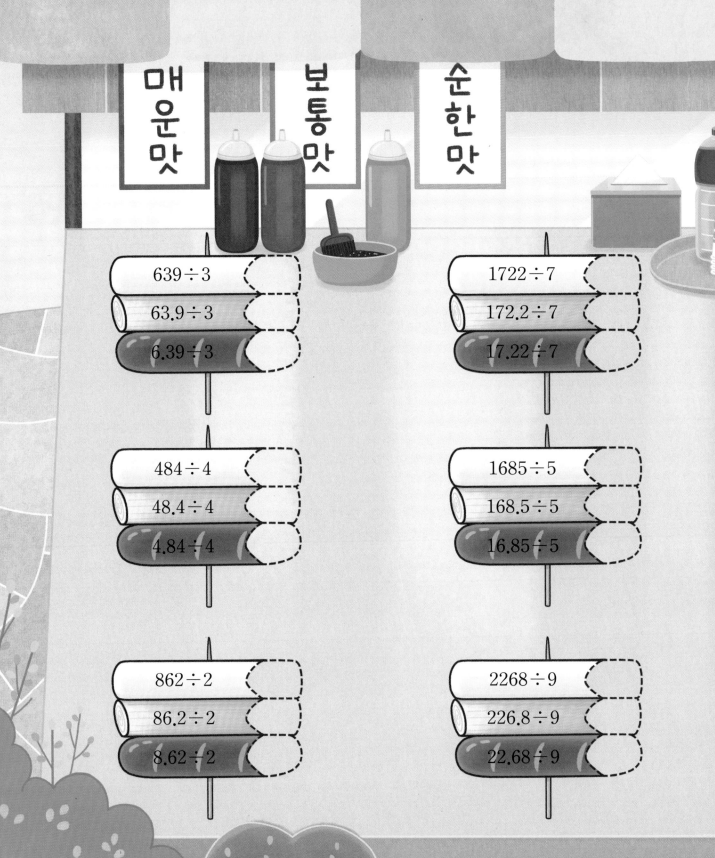

매운맛

$639 \div 3$

$63.9 \div 3$

$6.39 \div 3$

$484 \div 4$

$48.4 \div 4$

$4.84 \div 4$

$862 \div 2$

$86.2 \div 2$

$8.62 \div 2$

보통맛

순한맛

$1722 \div 7$

$172.2 \div 7$

$17.22 \div 7$

$1685 \div 5$

$168.5 \div 5$

$16.85 \div 5$

$2268 \div 9$

$226.8 \div 9$

$22.68 \div 9$

보미네 분식

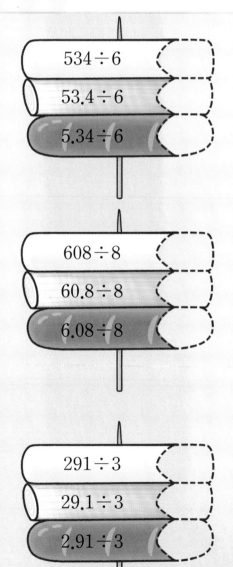

$534 \div 6$
$53.4 \div 6$
$5.34 \div 6$

$608 \div 8$
$60.8 \div 8$
$6.08 \div 8$

$291 \div 3$
$29.1 \div 3$
$2.91 \div 3$

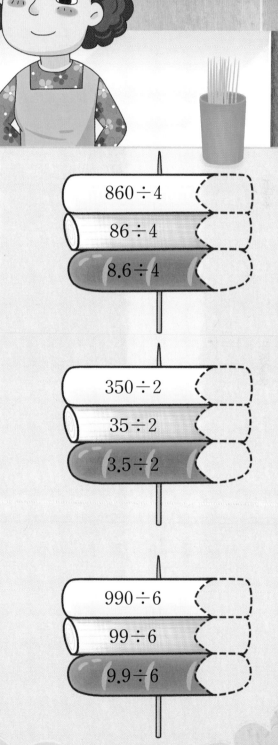

$860 \div 4$
$86 \div 4$
$8.6 \div 4$

$350 \div 2$
$35 \div 2$
$3.5 \div 2$

$990 \div 6$
$99 \div 6$
$9.9 \div 6$

[1~5] 자연수의 나눗셈을 이용하여 ☐ 안에 알맞은 수를 써넣으세요.

1
$286 \div 2 =$ ☐

$28.6 \div 2 =$ ☐

$2.86 \div 2 =$ ☐

2
$693 \div 3 =$ ☐

$69.3 \div 3 =$ ☐

$6.93 \div 3 =$ ☐

3
$848 \div 4 =$ ☐

$84.8 \div 4 =$ ☐

$8.48 \div 4 =$ ☐

4
$468 \div 2 =$ ☐

$46.8 \div 2 =$ ☐

$4.68 \div 2 =$ ☐

5
$936 \div 3 =$ ☐

$93.6 \div 3 =$ ☐

$9.36 \div 3 =$ ☐

[6~9] 계산해 보세요.

6
$5 \overline{)\ 6\ 7.5}$

7
$7 \overline{)\ 8\ 6.8}$

8
$4 \overline{)\ 5\ 7.2}$

9
$6 \overline{)\ 9\ 7.2}$

[10~13] 계산해 보세요.

10

$8\overline{)7.5\,2}$

11

$3\overline{)2.0\,7}$

12

$7\overline{)5.1\,1}$

13

$5\overline{)4.3\,5}$

[14~17] 계산해 보세요.

14

$4\overline{)7.8}$

15

$2\overline{)5.3}$

16

$6\overline{)8.1}$

17

$8\overline{)9.2}$

3

단원

1 끈 2.64 m를 두 명이 똑같이 나누어 가지려고 합니다. 물음에 답하세요.

(1) 2.64 m는 몇 cm인지 구해 보세요.

(   )

(2) 한 명이 가질 수 있는 끈은 몇 m인지 구해 보세요.

(   )

2 ☐ 안에 알맞은 수를 써넣으세요.

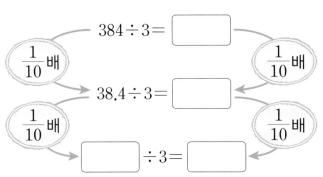

$$384 \div 3 = \boxed{}$$

$$\frac{1}{10} \text{배}$$ $$\frac{1}{10} \text{배}$$

$$38.4 \div 3 = \boxed{}$$

$$\frac{1}{10} \text{배}$$ $$\frac{1}{10} \text{배}$$

$$\boxed{} \div 3 = \boxed{}$$

3 자연수의 나눗셈을 이용하여 ☐ 안에 알맞은 수를 써넣으세요.

(1) $732 \div 6 = \boxed{}$ (2) $693 \div 3 = \boxed{}$

      $73.2 \div 6 = \boxed{}$ $69.3 \div 3 = \boxed{}$

      $7.32 \div 6 = \boxed{}$ $6.93 \div 3 = \boxed{}$

4 소수의 나눗셈을 분수의 나눗셈으로 바꾸어 계산하려고 합니다. ☐ 안에 알맞은 수를 써넣으세요.

(1) $75.6 \div 4 = \dfrac{\boxed{}}{10} \div 4 = \dfrac{\boxed{} \div 4}{10} = \dfrac{\boxed{}}{10} = \boxed{}$

(2) $14.64 \div 3 = \dfrac{\boxed{}}{100} \div 3 = \dfrac{\boxed{} \div 3}{100} = \dfrac{\boxed{}}{100} = \boxed{}$

5 ☐ 안에 알맞은 수를 써넣으세요.

(1)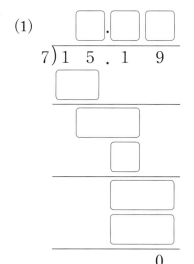

(2)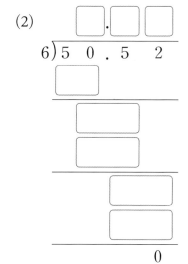

6 $684 \div 2$를 이용하여 $6.84 \div 2$를 계산하려고 합니다. ☐ 안에 알맞은 수를 써넣으세요.

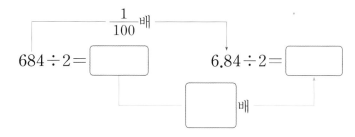

7 보기 와 같은 방법으로 계산해 보세요.

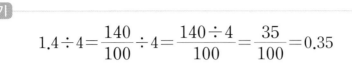

보기

$$1.4 \div 4 = \frac{140}{100} \div 4 = \frac{140 \div 4}{100} = \frac{35}{100} = 0.35$$

(1) $7.1 \div 5 =$ _____

(2) $2.7 \div 6 =$ _____

8 계산해 보세요.

(1)
$$3 \overline{)2\,7.7\,2}$$

(2)
$$6 \overline{)1\,9.1\,4}$$

(3) $10.72 \div 8$

(4) $7.91 \div 7$

9 몫의 크기를 비교하여 ○ 안에 >, =, <를 알맞게 써넣으세요.

$$6.8 \div 5 \qquad \bigcirc \qquad 10.8 \div 8$$

10 잘못 계산한 부분을 찾아 바르게 계산해 보세요.

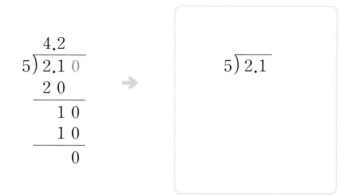

11 빈칸에 알맞은 수를 써넣으세요.

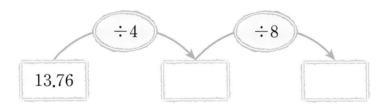

12 진주네 학교에서는 둘레가 20.8 m인 정오각형 모양의 밭을 만들려고 합니다. 밭의 한 변의 길이를 몇 m로 해야 하는지 구해 보세요.

(   )

개념 5 몫의 소수 첫째 자리에 0이 있는 (소수)÷(자연수) 알아보기

예 6.21÷3을 계산하기

① 분수의 나눗셈으로 바꾸어 계산하기

$$6.21 \div 3 = \frac{621}{100} \div 3 = \frac{621 \div 3}{100}$$

$$= \frac{207}{100} = 2.07$$

② 621÷3을 이용하여 계산하기

$$\overbrace{621 \div 3 = 207}^{\frac{1}{100}\text{배}} \Rightarrow \underbrace{6.21 \div 3 = 2.07}_{\frac{1}{100}\text{배}}$$

③ 세로로 계산하기

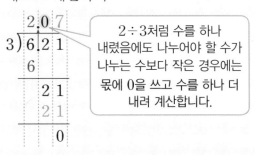

2÷3처럼 수를 하나 내렸음에도 나누어야 할 수가 나누는 수보다 작은 경우에는 몫에 0을 쓰고 수를 하나 더 내려 계산합니다.

예 5.4÷5를 계산하기

① 분수의 나눗셈으로 바꾸어 계산하기

$$5.4 \div 5 = \frac{540}{100} \div 5 = \frac{540 \div 5}{100}$$

$$= \frac{108}{100} = 1.08$$

$\frac{54}{10}$÷5에서 54÷5가 자연수로 나누어떨어지지 않으므로 분모가 100인 분수로 나타냅니다.

② 540÷5를 이용하여 계산하기

$$\overbrace{540 \div 5 = 108}^{\frac{1}{100}\text{배}} \Rightarrow \underbrace{5.4 \div 5 = 1.08}_{\frac{1}{100}\text{배}}$$

③ 세로로 계산하기

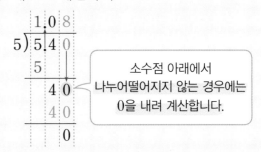

소수점 아래에서 나누어떨어지지 않는 경우에는 0을 내려 계산합니다.

➕🎮 개념 OX

🎓 맞으면 ○표, 틀리면 ✕표 하세요.

> 나누어야 할 수가 나누는 수보다 작은 경우에는 몫에 0을 쓰고 수를 하나 더 내려 계산합니다.

1 소수의 나눗셈을 분수의 나눗셈으로 바꾸어 계산하려고 합니다. ☐ 안에 알맞은 수를 써넣으세요.

$$8.72 \div 8 = \frac{\boxed{}}{100} \div 8 = \frac{\boxed{} \div 8}{100} = \frac{\boxed{}}{100} = \boxed{}$$

2 자연수의 나눗셈을 이용하여 ☐ 안에 알맞은 수를 써넣으세요.

(1) $610 \div 2 = 305$ ➡ $6.1 \div 2 = \boxed{}$

(2) $820 \div 4 = 205$ ➡ $8.2 \div 4 = \boxed{}$

3 ☐ 안에 알맞은 수를 써넣으세요.

(1)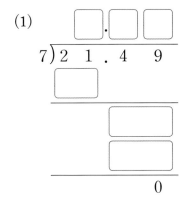

(2)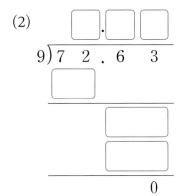

4 나머지가 0이 될 때까지 계산해 보세요.

(1)
```
       9.
  6) 5 4.3
     5 4
```

(2)
```
       7.
  5) 3 5.3
     3 5
```

개념 **6** (자연수)÷(자연수)의 몫을 소수로 나타내기

예 3÷4를 계산하기

① 분수로 바꾸어 계산하기

$$3÷4=\frac{3}{4}=\frac{3×25}{4×25}=\frac{75}{100}=0.75$$

② 300÷4를 이용하여 계산하기

$$300÷4=75 \Rightarrow 3÷4=0.75$$

$\frac{1}{100}$배

└→ 30÷4의 몫이 자연수로 나누어떨어지지 않으므로
300÷4를 이용합니다.

③ 세로로 계산하기

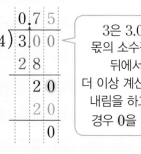

3은 3.00과 같습니다.
몫의 소수점은 자연수 바로
뒤에서 올려서 찍고
더 이상 계산할 수 없을 때까지
내림을 하고, 내릴 수가 없는
경우 0을 내려 계산합니다.

개념 **7** 몫의 소수점 위치를 확인해 보기

예 어림셈하여 23.8÷4의 몫의 소수점 위치 확인하기

23.8은 소수 첫째 자리에서 반올림하면 24이므로 23.8을 24로 어림하여 계산합니다.

└→ 소수를 간단한 자연수로 어림하여 계산

$$23.8÷4 \Rightarrow 24÷4 \Rightarrow 약 6$$

따라서 23.8÷4의 몫은 59.5와 5.95 중 5.95입니다.

예 어림셈하여 73.8÷6의 몫의 소수점 위치 확인하기

72÷6은 쉽게 나누어떨어지므로 73.8을 72로 어림하여 계산합니다.

└→ 소수를 나누어떨어지는 수로 어림하여 계산

$$73.8÷6 \Rightarrow 72÷6=12$$

나누어지는 수 73.8은 72보다 크므로 73.8÷6의 몫은 12보다 커야 합니다.

따라서 73.8÷6의 몫은 1.23과 12.3 중 12.3입니다.

개념 O X

🎓 5÷4의 몫을 소수로 바르게 나타낸 사람에게 ◯표 하세요.

1 자연수의 나눗셈을 분수로 바꾸어 몫을 소수로 나타내려고 합니다. □ 안에 알맞은 수를 써넣으세요.

(1) $9 \div 2 = \dfrac{\boxed{}}{2} = \dfrac{\boxed{}}{10} = \boxed{}$

(2) $7 \div 4 = \dfrac{\boxed{}}{4} = \dfrac{\boxed{}}{100} = \boxed{}$

2 자연수의 나눗셈을 이용하여 □ 안에 알맞은 수를 써넣으세요.

(1) $80 \div 5 = 16$ ➡ $8 \div 5 = \boxed{}$

(2) $600 \div 8 = 75$ ➡ $6 \div 8 = \boxed{}$

3 $19.14 \div 3$을 어림하여 계산했습니다. 몫의 소수점 위치를 찾아 소수점을 찍어 보세요.

어림 $19 \div 3$ ➡ 약 6 　 몫 $6\square3\square8$

4 어림을 이용하여 $6.72 \div 7$의 몫에 소수점의 위치를 바르게 찍은 것을 찾으려고 합니다. 물음에 답하세요.

(1) 나누어지는 수를 소수 첫째 자리에서 반올림하여 어림한 수로 나타내어 보세요.

$$6.72 \div 7 \ \blacktriangleright \ \boxed{} \div 7$$

(2) (1)의 어림한 수로 나눗셈의 몫을 구하여 $6.72 \div 7$의 몫을 어림해 보세요.

$\boxed{} \div 7 = \boxed{}$ 이므로 $6.72 \div 7$의 몫은 $\boxed{}$ 보다 작습니다.

(3) (2)의 어림한 식을 이용하여 몫을 바르게 나타낸 식에 ○표 하세요.

$6.72 \div 7 = 9.6$	$6.72 \div 7 = 0.96$
(　　　)	(　　　)

3. 소수의 나눗셈 · **77**

나눗셈의 몫이 써 있는 붙임딱지를 붙여 벌레를 잡아 보세요.

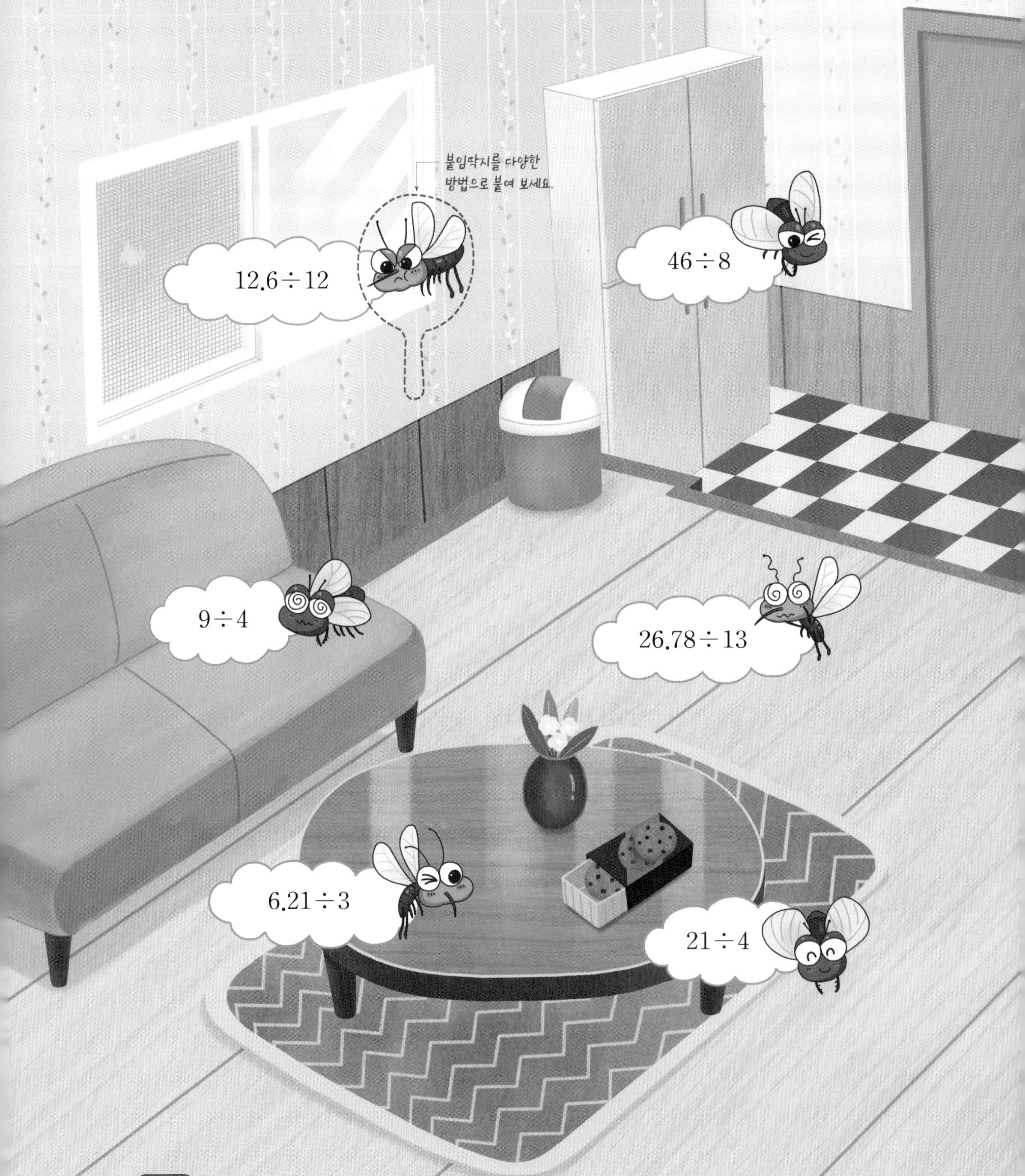

붙임딱지를 다양한
방법으로 붙여 보세요.

$12.6 \div 12$

$46 \div 8$

$9 \div 4$

$26.78 \div 13$

$6.21 \div 3$

$21 \div 4$

[1~4] 계산해 보세요.

1

$3\overline{)12.18}$

2

$5\overline{)35.25}$

3

$4\overline{)24.2}$

4

$8\overline{)64.4}$

[5~8] 계산해 보세요.

5

$6\overline{)9}$

6

$5\overline{)12}$

7

$25\overline{)4}$

8

$8\overline{)26}$

[9~12] 몫을 어림하여 알맞은 식을 찾아 ○표 하세요.

9 $5.76 \div 6 = 96$ (   )

    $5.76 \div 6 = 9.6$ (   )

    $5.76 \div 6 = 0.96$ (   )

10 $39.65 \div 5 = 0.793$ (   )

    $39.65 \div 5 = 7.93$ (   )

    $39.65 \div 5 = 79.3$ (   )

11 $47.12 \div 8 = 58.9$ (   )

    $47.12 \div 8 = 5.89$ (   )

    $47.12 \div 8 = 0.589$ (   )

12 $270.9 \div 9 = 0.301$ (   )

    $270.9 \div 9 = 3.01$ (   )

    $270.9 \div 9 = 30.1$ (   )

[13~16] 어림셈하여 몫의 소수점 위치를 찾으려고 합니다. □ 안에 알맞은 수를 써넣고 소수점을 찍어 보세요.

13 $8.34 \div 3$

어림 □ ÷ 3 ➡ 약 □

몫 2□7□8

14 $70.8 \div 6$

어림 □ ÷ 6 ➡ 약 □

몫 1□1□8

15 $25.4 \div 4$

어림 □ ÷ 4 ➡ 약 □

몫 6□3□5

16 $97.3 \div 7$

어림 □ ÷ 7 ➡ 약 □

몫 1□3□9

1 ☐ 안에 알맞은 수를 써넣으세요.

(1)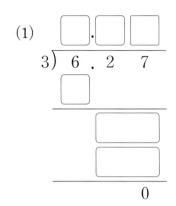

(2)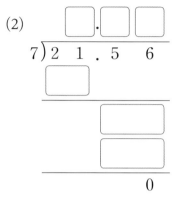

2 소수의 나눗셈을 분수의 나눗셈으로 바꾸어 계산해 보세요.

(1) $18.3 \div 6 =$ _____

(2) $4.32 \div 4 =$ _____

3 ☐ 안에 알맞은 수를 써넣으세요.

(1) $700 \div 4 =$ ☐ ➡ $7 \div 4 =$ ☐

(2) $140 \div 5 =$ ☐ ➡ $14 \div 5 =$ ☐

4 몫을 어림하여 몫이 1보다 큰 나눗셈을 찾아 기호를 써 보세요.

| ㉠ $6.65 \div 7$ | ㉡ $5.4 \div 4$ |

(   )

5 빈칸에 알맞은 수를 써넣으세요.

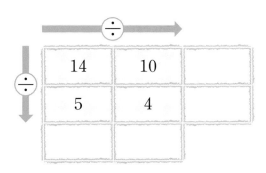

3

단원

6 소수를 자연수로 나눈 몫을 구해 보세요.

| 8 | 48.4 |

(   )

7 보기 와 같이 소수를 반올림하여 일의 자리까지 나타내어 어림한 식으로 표현하고, 몫을 어림해 보세요.

보기

$$35.7 \div 6 \rightarrow 36 \div 6 \rightarrow 약 6$$

(1) $12.24 \div 3 \rightarrow$ (   ) $\rightarrow$ 약 ☐

(2) $69.75 \div 5 \rightarrow$ (   ) $\rightarrow$ 약 ☐

8 8.12÷4를 어림하여 계산하면 8÷4＝2입니다. 8.12÷4의 몫의 소수점 위치를 찾아 소수점을 찍어 보세요.

$$8.12 \div 4 = 2\square0\square3$$

9 몫의 소수 첫째 자리 숫자가 0인 나눗셈을 찾아 기호를 써 보세요.

> ㉠ 11÷4   ㉡ 16÷20
>
> ㉢ 42.3÷6   ㉣ 2.52÷7

(   )

10 관계있는 것끼리 선으로 이어 보세요.

15÷12 •   • 3.8

19÷5 •   • 1.25

13÷4 •   • 3.25

11 과일 가게에서 무게가 똑같은 멜론을 4개 사 왔습니다. 사 온 멜론의 총 무게가 6 kg이라면 멜론 한 개의 무게는 몇 kg인지 소수로 나타내어 보세요.

(   )

12 가장 큰 수를 가장 작은 수로 나눈 몫을 구해 보세요.

| 20.3 | 14.6 | 5 |

(   )

13 몫을 어림하여 알맞은 식을 찾아 기호를 써 보세요.

㉠ $11.76 \div 3 = 392$
㉡ $11.76 \div 3 = 39.2$
㉢ $11.76 \div 3 = 3.92$
㉣ $11.76 \div 3 = 0.392$

(   )

3 단원

14 평행사변형의 넓이가 $96.6 \, \text{cm}^2$이고 밑변의 길이가 $12 \, \text{cm}$일 때 높이는 몇 cm인지 구해 보세요.

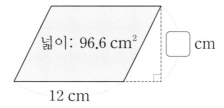

넓이: $96.6 \, \text{cm}^2$ ☐ cm

$12 \, \text{cm}$

(   )

15 수 카드 4장 중 2장을 골라 한 번씩만 사용하여 몫이 가장 큰 나눗셈을 만들고 계산하여 몫을 소수로 나타내어 보세요.

8   7   9   5

식 _____

답 _____

개념 확인평가

맞은 개수

1 846÷2를 이용하여 8.46÷2를 계산하는 방법을 설명한 것입니다. □ 안에 알맞은 수를 써넣으세요.

> 8.46은 846의 $\frac{1}{100}$배이므로 8.46÷2의 몫은 846÷2의 몫의 □배입니다.
>
> 846÷2＝423이므로 8.46÷2의 몫은 423의 $\frac{1}{100}$배인 □입니다.

2 바르게 계산한 것을 찾아 기호를 써 보세요.

> ㉠ $47.2÷8=\dfrac{472}{100}÷8=\dfrac{472÷8}{100}=\dfrac{59}{100}=0.59$
>
> ㉡ $60.3÷9=\dfrac{603}{10}÷9=\dfrac{603÷9}{10}=\dfrac{67}{10}=6.7$

( )

3 몫의 소수점을 잘못 찍은 것은 어느 것일까요? ·························· ( )

① 81÷3=27 ➡ 8.1÷3=2.7　　　② 625÷5=125 ➡ 62.5÷5=12.5

③ 96÷6=16 ➡ 0.96÷6=0.16　　④ 832÷4=208 ➡ 8.32÷4=2.08

⑤ 238÷7=34 ➡ 23.8÷7=0.34

4 보기 와 같이 소수를 반올림하여 일의 자리까지 나타내어 어림한 식으로 표현해 보세요.

> 보기
> 24.8÷5 ➡ 25÷5

(1) 18.4÷4 ➡ ( )

(2) 5.16÷6 ➡ ( )

5 몫이 1보다 작은 나눗셈을 찾아 기호를 써 보세요.

> ㄱ 5.7÷5   ㄴ 6.92÷4   ㄷ 3.02÷2   ㄹ 7.4÷8

(   )

6 계산 결과를 비교하여 ○ 안에 >, =, <를 알맞게 써넣으세요.

(1) 3.4÷4 ◯ 3.8÷5

(2) 9.21÷3 ◯ 21.63÷7

7 빈칸에 알맞은 수를 써넣으세요.

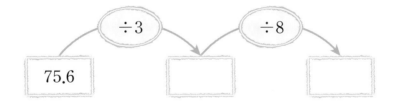

8 □ 안에 들어갈 수 있는 가장 큰 자연수를 구해 보세요.

76÷8 > □

(   )

9 오른쪽 정삼각형의 한 변의 길이는 몇 cm인지 구해 보세요.

(   )

10 길이가 53.2 m인 길의 한쪽에 처음부터 끝까지 같은 간격으로 나무 8그루를 심으려고 합니다. 나무 사이의 간격은 몇 m로 해야 하는지 구해 보세요. (단, 나무의 굵기는 생각하지 않습니다.)

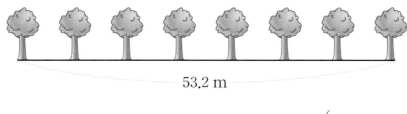

53.2 m

(   )

11 모든 모서리의 길이가 같은 사각뿔이 있습니다. 모든 모서리의 길이의 합이 2.72 m일 때 한 모서리의 길이는 몇 m인지 구해 보세요.

(   )

12 수 카드 ⑷ , ⑹ , ⑻ 중 2장을 골라 가장 큰 소수 한 자리 수를 만들고 이 수를 남은 수 카드의 수로 나누었을 때의 몫은 얼마인지 구해 보세요.

(   )

4 비와 비율

개념 ① 두 수를 비교하기

예 남학생 6명, 여학생 3명으로 한 모둠을 구성하려고 합니다.

· 남학생 수와 여학생 수를 비교하기

뺄셈으로 비교 ➡ $6-3=3$	나눗셈으로 비교 ➡ $6÷3=2$
남학생은 어학생보다 3명 더 많습니다.	남학생 수는 여학생 수의 2배입니다.

· 모둠 수에 따른 남학생 수와 여학생 수를 비교하기

모둠 수	1	2	3	4	5	⋯⋯
남학생 수(명)	6	12	18	24	30	⋯⋯
여학생 수(명)	3	6	9	12	15	⋯⋯

뺄셈으로 비교 ➡ $6-3=3$, $12-6=6$, $18-9=9$⋯⋯	나눗셈으로 비교 ➡ $6÷3=2$, $12÷6=2$, $18÷9=2$⋯⋯
모둠 수에 따라 남학생은 여학생보다 각각 3명, 6명, 9명⋯⋯ 더 많습니다.	남학생 수는 항상 여학생 수의 2배입니다.

↳ 나눗셈으로 비교한 경우에 남학생 수와 여학생 수의 관계가 변하지 않습니다.

개념 ② 비를 알아보기

두 수를 나눗셈으로 비교하기 위해 기호 :을 사용하여 나타낸 것을 비라고 합니다.

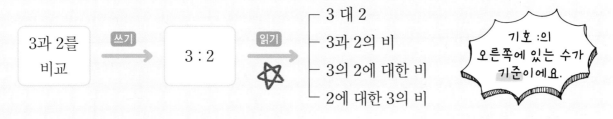

| 3과 2를 비교 | 쓰기 → | 3 : 2 | 읽기 → | ┌ 3 대 2
 ├ 3과 2의 비
 ├ 3의 2에 대한 비
 └ 2에 대한 3의 비 |

기호 :의 오른쪽에 있는 수가 기준이에요.

개념 O X

🎓 비를 바르게 읽은 것에 ◯표 하세요.

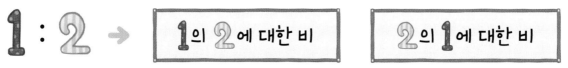

1 : 2 → | 1의 2에 대한 비 | 2의 1에 대한 비 |

1 귤 수와 사과 수를 뺄셈으로 비교하려고 합니다. ☐ 안에 알맞은 수를 써넣으세요.

(귤 수) − (사과 수) = 6 − ☐ = ☐

➡ 귤은 사과보다 ☐개 더 많습니다.

2 여학생 4명, 남학생 2명으로 한 모둠을 구성하려고 합니다. 표를 완성하고 ☐ 안에 알맞은 수를 써넣으세요.

모둠 수	1	2	3	4	5	……
여학생 수(명)	4	8	12	16	20	……
남학생 수(명)	2	4				……

(여학생 수) ÷ (남학생 수)를 계산하면 4 ÷ 2 = ☐, 8 ÷ 4 = ☐ …… 입니다.

➡ 여학생 수는 남학생 수의 ☐배입니다.

3 그림을 보고 ☐ 안에 알맞은 수를 써넣으세요.

도넛 수와 삼각김밥 수의 비 ➡ ☐ : ☐

4 비가 <u>다른</u> 하나에 △표 하세요.

8 대 3   8의 3에 대한 비   8에 대한 3의 비

(   )   (   )   (   )

4
단원

개념 ③ 비율을 알아보기

비 1 : 2에서 기호 :의 오른쪽에 있는 2는 기준량이고, 왼쪽에 있는
1은 비교하는 양입니다.

기준량에 대한 비교하는 양의 크기를 비율이라고 합니다.

$$(비율)=(비교하는\ 양) \div (기준량) = \frac{(비교하는\ 양)}{(기준량)}$$

예 비 1 : 2를 비율로 나타내면 $\frac{1}{2}$ 또는 0.5입니다.

$$\rightarrow \frac{1}{2} = \frac{5}{10} = 0.5$$

개념 ④ 비율이 사용되는 경우를 알아보기

- 걸린 시간에 대한 간 거리의 비율

  → (간 거리) : (걸린 시간) → ┌ 비교하는 양: 간 거리
  └ 기준량: 걸린 시간 → $(비율) = \frac{(간\ 거리)}{(걸린\ 시간)}$

- 넓이에 대한 인구의 비율

  → (인구) : (넓이) → ┌ 비교하는 양: 인구
  └ 기준량: 넓이 → $(비율) = \frac{(인구)}{(넓이)}$

- 흰색 물감 양에 대한 검은색 물감 양의 비율

  → (검은색 물감 양) : (흰색 물감 양) → ┌ 비교하는 양: 검은색 물감 양
  └ 기준량: 흰색 물감 양

  → $(비율) = \frac{(검은색\ 물감\ 양)}{(흰색\ 물감\ 양)}$

개념 O X

비율을 바르게 나타낸 사람에게 ◯표 하세요.

■에 대한
▲의 비율 →

1 알맞은 말에 ○표 하세요.

> 비 2 : 3에서 2는 (비교하는 양 , 기준량)이고, 3은 (비교하는 양 , 기준량)입니다.

2 ☐ 안에 알맞은 수를 써넣으세요.

(1) 비 3 : 5를 비율로 나타내면 $\dfrac{\square}{\square}$ 입니다.

(2) 비 7 : 10을 비율로 나타내면 $\dfrac{\square}{\square}$ 또는 $\square$(소수) 입니다.

3 현서가 KTX를 타고 A에서 B까지 가는 데 걸린 시간에 대한 간 거리의 비율을 구하려고 합니다. ☐ 안에 알맞은 수를 써넣으세요.

KTX를 타고 2시간 동안 A에서 B까지 405 km를 갔어요.

→ (비율) $= \dfrac{(간\ 거리)}{(걸린\ 시간)} = \dfrac{\square}{\square}$

4 민준이네 마을의 인구는 8400명이고 넓이는 7 km²입니다. 마을의 넓이에 대한 인구의 비율을 구하려고 합니다. ☐ 안에 알맞은 수를 써넣으세요.

$$(비율) = \dfrac{(인구)}{(넓이)} = \dfrac{\square}{\square} = \square$$

준비물 붙임딱지

각 드론에는 배달하는 상자에 담긴 오렌지 수에 대한 토마토 수의 비가 적혀 있습니다.

드론에 알맞은 상자를 붙이고, 착륙하는 지점에 토마토 수와 오렌지 수의 비율을 써 보세요.

착륙하는 지점

[1~3] 표를 완성하고 ☐ 안에 알맞은 수를 써넣으세요.

1 남학생 6명, 여학생 2명으로 한 모둠을 구성하려고 합니다.

모둠 수	1	2	3	……
남학생 수(명)	6	12	18	……
여학생 수(명)	2	4		……

➡ 남학생 수는 여학생 수의 ☐배입니다.

2 자두 8개, 귤 4개로 한 봉지를 만들려고 합니다.

봉지 수	1	2	3	……
자두 수(개)	8	16	24	……
귤 수(개)	4	8		……

➡ 자두 수는 귤 수의 ☐배입니다.

3 사탕 10개, 껌 5개로 한 상자를 만들려고 합니다.

상자 수	1	2	3	……
사탕 수(개)	10	20	30	……
껌 수(개)	5	10		……

➡ 사탕 수는 껌 수의 ☐배입니다.

[4~6] 그림을 보고 ☐ 안에 알맞은 수를 써넣으세요.

4

• 모자 수에 대한 장갑 수의 비
➡ ☐ : ☐

• 장갑 수에 대한 모자 수의 비
➡ ☐ : ☐

5

• 막대 사탕 수에 대한 초콜릿 수의 비
➡ ☐ : ☐

• 초콜릿 수에 대한 막대 사탕 수의 비
➡ ☐ : ☐

6

• 딸기 수에 대한 자두 수의 비
➡ ☐ : ☐

• 자두 수에 대한 딸기 수의 비
➡ ☐ : ☐

[7~10] □ 안에 알맞은 수를 써넣으세요.

7   2 : 5

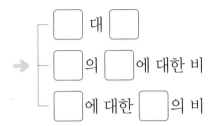

8   5 : 4

9   7 : 8

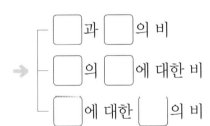

10   13 : 10

[11~15] 비교하는 양과 기준량을 찾아 쓰고 비율을 분수로 구해 보세요.

11   4 : 5

비교하는 양	기준량	비율

12   2 대 7

비교하는 양	기준량	비율

13   3과 8의 비

비교하는 양	기준량	비율

14   5의 9에 대한 비

비교하는 양	기준량	비율

15   11에 대한 6의 비

비교하는 양	기준량	비율

1 ☐ 안에 알맞은 수를 써넣으세요.

(1) 7 대 9 ➡ ☐ : ☐

(2) 5에 대한 3의 비 ➡ ☐ : ☐

(3) 6과 2의 비 ➡ ☐ : ☐

(4) 11의 8에 대한 비 ➡ ☐ : ☐

2 주머니 수와 사탕 수를 비교하려고 합니다. ☐ 안에 알맞은 수를 써넣고 알맞은 말에 ○표 하세요.

주머니 수(개)	1	2	3	4	5	⋯⋯
사탕 수(개)	4	8	12	16	20	⋯⋯

➡ 사탕 수는 항상 주머니 수의 ☐ 배입니다.

나눗셈으로 비교한 경우에 주머니 수와 사탕 수 사이의 관계는
(변합니다 , 변하지 않습니다).

3 그림을 보고 ☐ 안에 알맞은 수를 써넣으세요.

➡ 오이 수와 토마토 수의 비는 ☐ : ☐ 입니다.

4 전체에 대한 색칠한 부분의 비를 써 보세요.

(1)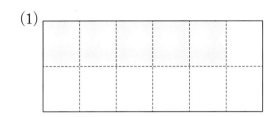

→ ☐ : ☐

(2)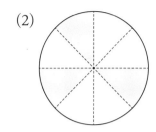

→ ☐ : ☐

5 그림을 보고 알맞은 비를 써 보세요.

▲ 출처 ⓒGena73, shutterstock

(1) 햄버거 수에 대한 콜라 수의 비

(   )

(2) 콜라 수의 햄버거 수에 대한 비

(   )

6 표를 완성해 보세요.

비	비교하는 양	기준량	비율
8 : 4			
11 : 13			

7 직사각형 모양 액자가 2개 있습니다. 물음에 답하세요.

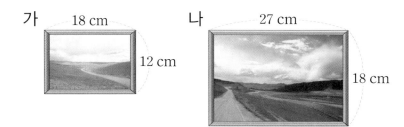

가 18 cm 12 cm 나 27 cm 18 cm

(1) 두 액자의 세로에 대한 가로의 비율을 각각 분수로 나타내어 보세요.

가 (   ), 나 (   )

(2) 두 액자의 세로에 대한 가로의 비율은 같습니까? 다릅니까?

(   )

8 지영이는 100 m를 달리는 데 20초가 걸렸습니다. 지영이가 100 m를 달리는 데 걸린 시간에 대한 달린 거리의 비율을 구해 보세요.

(   )

9 흰색 물감 300 mL에 검은색 물감 6 mL를 섞어 회색을 만들었습니다. 만든 회색 물감에서 흰색 물감 양에 대한 검은색 물감 양의 비율을 구해 보세요.

(   )

10 비를 보고 비율을 분수와 소수로 각각 나타내어 보세요.

15 : 20

분수 (   )
소수 (   )

11 비율이 더 큰 것에 ◯표 하세요.

25에 대한 10의 비   6과 10의 비

(   )   (   )

12 표를 보고 물음에 답하세요.

마을	준호네 마을	가은이네 마을
인구(명)	21700	36144
넓이(km²)	7	9

(1) 준호네 마을의 넓이에 대한 인구의 비율을 자연수로 구해 보세요.

(   )

(2) 가은이네 마을의 넓이에 대한 인구의 비율을 자연수로 구해 보세요.

(   )

4
단원

13 예지와 강호의 대화를 읽고 물음에 답하세요.

7 : 5는
5 : 7과 같아.
예지

음,
비에서 기준을 찾아
비교해 보면……
강호

(1) 예지가 비에 대해 이야기한 것이 맞으면 ◯표, 틀리면 ✕표 하세요.

(   )

(2) 강호의 말을 읽고 (1)에서 ◯표 또는 ✕표 한 이유를 써 보세요.

이유 _____

_____

개념 ⑤ 백분율을 알아보기

기준량을 100으로 할 때의 비율을 백분율이라고 합니다.

백분율은 기호 %를 사용하여 나타냅니다.

비율 $\frac{75}{100}$를 75 %라 쓰고 75퍼센트라고 읽습니다.

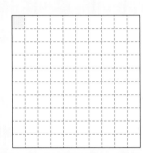

$$\frac{1}{100} = 1\,\%$$

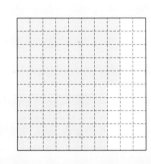

$$\frac{75}{100} = 75\,\%$$

• 비율을 백분율로 나타내기

방법1 기준량이 100인 비율$\left(\dfrac{\blacksquare}{100}\right)$로 나타내어 백분율(■ %)로 나타냅니다.

분수를 백분율로 나타내기	소수를 백분율로 나타내기
$\frac{12}{25} \rightarrow \frac{12}{25} = \frac{48}{100} \rightarrow 48\,\%$	$0.53 \rightarrow 0.53 = \frac{53}{100} \rightarrow 53\,\%$

방법2 비율에 100을 곱해서 나온 값에 기호 %를 붙입니다.

분수를 백분율로 나타내기	소수를 백분율로 나타내기
$\frac{12}{25} \rightarrow \frac{12}{25} \times 100 = 48\,(\%)$	$0.53 \rightarrow 0.53 \times 100 = 53\,(\%)$

개념 O X

비율을 백분율로 바르게 나타낸 사람에게 ◯표 하세요.

0.1 →

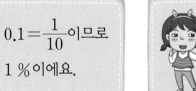

$0.1 = \dfrac{1}{10}$이므로 1 %이에요.

$0.1 = \dfrac{10}{100}$이므로 10 %이에요.

1 ☐ 안에 알맞게 써넣으세요.

(1) 기준량을 ☐ (으)로 할 때의 비율을 백분율이라고 합니다.

(2) 백분율은 기호 ☐ 을/를 사용하여 나타냅니다.

2 그림을 보고 전체에 대한 색칠한 부분의 비율을 백분율로 나타내어 보세요.

(1) 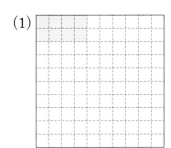 ☐ %

(2) 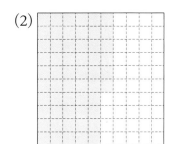 ☐ %

3 비율을 백분율로 나타내려고 합니다. ☐ 안에 알맞은 수를 써넣으세요.

(1) $\dfrac{9}{20}$

 $\dfrac{9}{20} = \dfrac{\boxed{}}{100}$ ➡ $\boxed{}$ %

방법2 $\dfrac{9}{20} \times 100 = \boxed{}$ (%)

(2) 0.38

방법1 $0.38 = \dfrac{\boxed{}}{100}$ ➡ $\boxed{}$ %

방법2 $0.38 \times \boxed{} = \boxed{}$ (%)

4 비율을 백분율로 나타내어 보세요.

(1) $\dfrac{7}{50}$ ( )

(2) 0.61 ( )

백분율로 나타낼 때 기호 % 를 붙여야 해요.

개념 ⑥ 백분율이 사용되는 경우를 알아보기

• 할인율: 원래 가격에 대한 할인 금액의 비율

예

원래 가격: 2000원
할인된 판매 가격: 1800원

(할인 금액)＝(원래 가격)－(할인된 판매 가격)
＝2000－1800＝200(원)

→ $(할인율)=\dfrac{(할인\ 금액)}{(원래\ 가격)}\times100$

$=\dfrac{200}{2000}\times100=10\,(\%)$

• 득표율: 전체 투표수에 대한 해당 후보의 득표수의 비율

예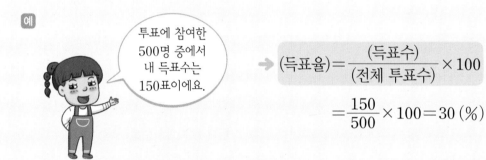

투표에 참여한 500명 중에서 내 득표수는 150표이에요.

→ $(득표율)=\dfrac{(득표수)}{(전체\ 투표수)}\times100$

$=\dfrac{150}{500}\times100=30\,(\%)$

• 소금물의 진하기: 소금물 양에 대한 소금 양의 비율

예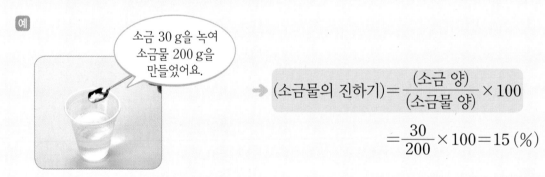

소금 30 g을 녹여 소금물 200 g을 만들었어요.

→ $(소금물의\ 진하기)=\dfrac{(소금\ 양)}{(소금물\ 양)}\times100$

$=\dfrac{30}{200}\times100=15\,(\%)$

개념 ○✕

🎓 사탕의 할인율을 바르게 구한 사람에게 ○표 하세요.

500원짜리 사탕을 할인하여 400원에 팝니다.

→

 사탕의 할인율은 $\dfrac{400}{500}\times100=80\,(\%)$ 입니다.

 할인 금액은 500－400＝100(원) 이므로 사탕의 할인율은 $\dfrac{100}{500}\times100=20\,(\%)$ 입니다.

[1~2] 제과점에서 마감 시간이 다 되어 남은 빵을 할인하여 팔고 있습니다. 물음에 답하세요.

1 바게트의 할인율을 구하려고 합니다. ☐ 안에 알맞은 수를 써넣으세요.

$$(\text{할인 금액}) = 2000 - \boxed{} = \boxed{} (\text{원})$$

$$\Rightarrow (\text{할인율}) = \frac{\boxed{}}{2000} \times 100 = \boxed{} (\%)$$

2 모카빵의 할인율을 구하려고 합니다. ☐ 안에 알맞은 수를 써넣으세요.

$$(\text{할인 금액}) = 4000 - \boxed{} = \boxed{} (\text{원})$$

$$\Rightarrow (\text{할인율}) = \frac{\boxed{}}{4000} \times 100 = \boxed{} (\%)$$

3 전교 학생 회장 선거 투표에 500명이 참여했고, 가 후보의 득표수는 200표입니다. 가 후보의 득표율을 구하려고 합니다. ☐ 안에 알맞은 수를 써넣으세요.

$$(\text{득표율}) = \frac{\boxed{}}{500} \times 100 = \boxed{} (\%)$$

4 과학 시간에 재희는 소금 60 g을 녹여 소금물 300 g을 만들었습니다. 소금물의 진하기를 구하려고 합니다. ☐ 안에 알맞은 수를 써넣으세요.

$$(\text{소금물의 진하기}) = \frac{\boxed{}}{300} \times 100 = \boxed{} (\%)$$

준비물 붙임딱지

한쪽은 분수나 소수, 다른 쪽은 백분율로 되어 있는 아이스크림이 있습니다.
양쪽의 비율이 같도록 알맞게 짝을 지어 아이스크림을 붙여 보세요.

$\dfrac{17}{100}$

$\dfrac{3}{20}$

$\dfrac{4}{5}$

0.75

$\dfrac{8}{50}$

0.67

0.2

0.04

0.19

아이스크림

$\dfrac{13}{20}$

1.5

0.18

$\dfrac{2}{4}$

$\dfrac{6}{10}$

$\dfrac{17}{20}$

0.06

$\dfrac{20}{50}$

0.9

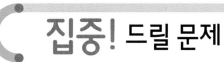

[1~8] 비율을 백분율로 나타내어 보세요.

1   $\dfrac{68}{100}$ → (   )

2   $\dfrac{12}{50}$ → (   )

3   $\dfrac{9}{25}$ → (   )

4   $\dfrac{11}{20}$ → (   )

5   $\dfrac{7}{10}$ → (   )

6   $\dfrac{2}{5}$ → (   )

7   $\dfrac{3}{4}$ → (   )

8   $\dfrac{1}{2}$ → (   )

[9~16] 비율을 백분율로 나타내어 보세요.

9   0.16 → (   )

10   0.74 → (   )

11   0.02 → (   )

12   0.05 → (   )

13   0.4 → (   )

14   0.8 → (   )

15   1.35 → (   )

16   2.6 → (   )

[17~21] 원래 가격과 할인된 판매 가격을 차례로 쓴 것입니다. 할인율은 몇 %인지 구해 보세요.

17
500원 → 450원

(   )

18
1000원 → 700원

(   )

19
2000원 → 1600원

(   )

20
3000원 → 1500원

(   )

21
4000원 → 2400원

(   )

[22~25] 각 후보의 득표율은 몇 %인지 구해 보세요.

22

후보	세현	문흥	합계
득표수(표)	14	6	20

세현 (   )
문흥 (   )

23

후보	현우	애실	합계
득표수(표)	10	15	25

현우 (   )
애실 (   )

24

후보	민경	현태	합계
득표수(표)	28	22	50

민경 (   )
현태 (   )

25

후보	수현	지영	합계
득표수(표)	260	240	500

수현 (   )
지영 (   )

4

단원

1 비율이 <u>다른</u> 하나를 찾아 기호를 써 보세요.

㉠ $\dfrac{25}{100}$ ㉡ 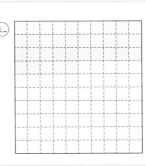   ㉢ 0.25   ㉣ 25 %

(   )

2 와 같은 방법으로 비율을 백분율로 나타내어 보세요.

> **보기**
>
> $$\dfrac{2}{5} = \dfrac{2 \times 20}{5 \times 20} = \dfrac{40}{100} \;\Rightarrow\; 40\ \%$$

$\dfrac{3}{4} = $ _____

3 ☐ 안에 알맞은 수를 써넣으세요.

> 비율 $\dfrac{1}{2}$ 을 소수로 나타내면 ☐ 이고, 이것을 백분율로 나타내면 ☐ % 입니다.

4 비율을 백분율로 나타내어 보세요.

(1) 0.47 ➡ (   ) (2) $\dfrac{13}{25}$ ➡ (   )

(3) 0.7 ➡ (   ) (4) $\dfrac{1}{4}$ ➡ (   )

5 그림을 보고 전체에 대한 색칠한 부분의 비율은 몇 %인지 구해 보세요.

(1)
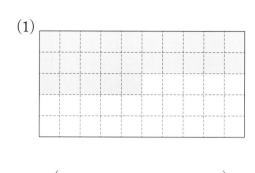

(   )

(2)
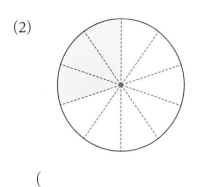

(   )

6 비율이 같은 것끼리 선으로 이어 보세요.

$\dfrac{3}{5}$ •   •   6 %

0.06   •   •   60 %

$\dfrac{7}{20}$ •   •   35 %

7 비를 보고 비율을 백분율로 나타내어 보세요.

(1)   10 : 50   ➡   (   )

(2)   6 : 20   ➡   (   )

> 비율을 분수나 소수로 나타낸 다음 백분율로 나타내면 돼요.

4

단원

8 현장 학습을 경주로 가는 것에 대한 찬성과 반대 수를 조사하였습니다. 찬성률을 백분율로 나타내어 보세요.

반 전체 학생 수(명)	찬성하는 학생 수(명)
25	16

(   )

9 비율이 가장 작은 것을 찾아 기호를 써 보세요.

> ㉠ 0.6   ㉡ 55 %   ㉢ $\frac{3}{4}$

(   )

10 어느 가게에서 판매하는 복숭아와 사과의 가격을 나타낸 표를 보고 두 과일의 할인율을 비교하려고 합니다. 물음에 답하세요.

과일	복숭아	사과
원래 가격(원)	800	1000
할인된 판매 가격(원)	640	750

(1) 복숭아와 사과의 할인 금액은 각각 얼마일까요?

복숭아 (   )

사과 (   )

(2) 복숭아와 사과의 할인율은 각각 몇 % 일까요?

복숭아 (   )

사과 (   )

(3) 할인율이 더 높은 과일을 써 보세요.

(   )

11 공장에서 인형 500개를 만들면 불량품 15개가 나온다고 합니다. 전체 인형 수에 대한 불량품 수의 비율을 백분율로 나타내어 보세요.

(   )

12 설탕물 양에 대한 설탕 양의 비율을 알아보려고 합니다. 물음에 답하세요.

설탕 30 g을 물 170 g에 녹여 설탕물을 만들었습니다.

(1) 설탕물 양은 몇 g일까요?
→(설탕 양)+(물 양)

(   )

(2) 설탕 양은 몇 g일까요?

(   )

(3) 설탕물 양에 대한 설탕 양의 비율은 몇 % 일까요?

(   )

13 25000원짜리 피자를 주문하고 다음 할인권을 이용하여 피자값으로 20000원을 냈습니다. 할인권의 □ 안에 알맞은 수를 써넣으세요.

할인권

할인권

피자

□ % 할인

개념 확인평가

4. 비와 비율

[1~2] 그림을 보고 비행기 수와 배 수를 비교하려고 합니다. 물음에 답하세요.

▲ 출처 ⓒMelissa Madia, shutterstock / ⓒVereshchagin Dmitry, shutterstock

1 비행기 수와 배 수를 뺄셈으로 비교해 보세요.

⬚⬚⬚⬚는 ⬚⬚⬚⬚보다 ⬚대 더 많습니다.

2 비행기 수와 배 수를 나눗셈으로 비교해 보세요.

⬚⬚⬚⬚ 수는 ⬚⬚⬚⬚ 수의 ⬚배입니다.

3 그림을 보고 ⬚ 안에 알맞은 수를 써넣으세요.

▲ 출처 ⓒMPFphotography, shutterstock

(1) 스마트폰 수와 노트북 수의 비 ➡ ⬚ : ⬚

(2) 스마트폰 수의 노트북 수에 대한 비 ➡ ⬚ : ⬚

(3) 노트북 수에 대한 스마트폰 수의 비 ➡ ⬚ : ⬚

4 그림을 보고 놀이터에서 편의점까지 거리와 편의점에서 경찰서까지 거리의 비를 구해 보세요.

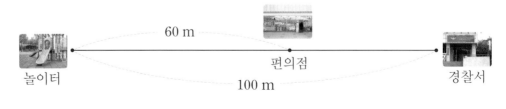

60 m

편의점

놀이터   100 m   경찰서

(   )

5 관계있는 것끼리 선으로 이어 보세요.

4와 25의 비 •   • $\dfrac{1}{5}$ •   • 0.16

20에 대한 8의 비 •   • $\dfrac{2}{5}$ •   • 0.2

1의 5에 대한 비 •   • $\dfrac{4}{25}$ •   • 0.4

6 버스의 걸린 시간에 대한 간 거리의 비율을 구해 보세요.

버스를 타고 260 km를 가는 데 4시간이 걸렸어요.

(   )

7 평행사변형의 밑변의 길이에 대한 높이의 비율을 분수와 소수로 각각 나타내어 보세요.

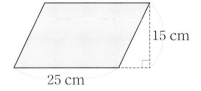

15 cm

25 cm

분수 (   )

소수 (   )

8 빈칸에 알맞은 수를 써넣으세요.

분수	소수	백분율(%)
$\dfrac{1}{20}$		

9 그림을 보고 전체에 대한 색칠한 부분의 비율을 백분율로 나타내어 보세요.

(1)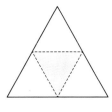

(   )

(2)

(   )

10 현서의 골 성공률은 몇 % 일까요?

축구 연습을 하는 데 공을 20번 차서 골대에 15번 넣었어요.

(   )

11 전교 학생 회장 선거의 투표 결과입니다. A 후보의 득표율은 몇 % 일까요?

후보	A	B	무효표
득표수(표)	165	105	30

(   )

12 가장 진한 소금물에 ○표 하세요.

▼ 출처 ⓒPixMarket, shutterstock

소금 40 g을 녹여 만든 소금물 200 g	소금 36 g을 녹여 만든 소금물 150 g	소금 80 g을 녹여 만든 소금물 500 g

(   )   (   )   (   )

5 여러 가지 그래프

개념 ① 그림그래프로 나타내기

예 우리나라 권역별 화훼 재배 농가 수를 그림그래프로 나타내고 알 수 있는 사실 알아보기

권역별 화훼 재배 농가 수

반올림하여 백의 자리까지 나타낸 값

권역	농가 수(호)	어림값(호)	권역	농가 수(호)	어림값(호)
서울·인천·경기	2506	2500	강원	146	100
대전·세종·충청	875	900	대구·부산·울산·경상	1694	1700
광주·전라	2025	2000	제주	175	200

(출처: 국가 통계 포털, 2017.)

권역별 화훼 재배 농가 수

서울·인천·경기
강원
대전·세종·충청
대구·부산·울산·경상
광주·전라
제주

🌸 1000호
✿ 100호

〈그림그래프를 보고 알 수 있는 내용〉

• 🌸은 1000호, ✿은 100호를 나타냅니다.

• 화훼 재배 농가 수가 가장 많은 권역은 서울·인천·경기입니다.

• 화훼 재배 농가 수가 가장 적은 권역은 강원입니다.

• 광주·전라의 화훼 재배 농가 수는 제주의 화훼 재배 농가 수의 10배입니다. → $2000 \div 200 = 10$(배)

• 권역별로 화훼 재배 농가 수가 많이 차이 납니다.

자료를 그림그래프로 나타내면 좋은 점

• 어느 항목이 많고 적은지를 한눈에 알 수 있습니다.

• 그림의 크기로 많고 적음을 알 수 있습니다.

• 그림그래프는 복잡한 자료를 간단하게 보여 줍니다.

개념 OX

🎓 그림그래프에 대하여 바르게 설명한 사람에게 ○표 하세요.

그림의 모양으로 많고 적음을 알 수 있습니다.

그림의 크기로 많고 적음을 알 수 있습니다.

[1~4] 우리나라 권역별 초등학교 수를 조사한 표입니다. 물음에 답하세요.

권역별 초등학교 수

권역	학교 수(개)	어림값(개)	권역	학교 수(개)	어림값(개)
서울·인천·경기	2113	2100	강원	351	
대전·세종·충청	862	900	대구·부산·울산·경상	1623	1600
광주·전라	1002		제주	113	100

(출처: 초등학교 개황, 국가 통계 포털, 2018.)

1 초등학교 수를 반올림하여 백의 자리까지 나타내어 표의 빈칸을 채워 보세요.

2 표를 보고 그림그래프를 그릴 때 그림을 몇 가지로 나타내는 것이 좋은지 써 보세요.

(   )

3 표를 보고 그림그래프를 완성해 보세요.

권역별 초등학교 수

4 초등학교가 가장 많은 권역을 찾아 써 보세요.

(   )

개념 ② 띠그래프 알아보기

• 띠그래프: 전체에 대한 각 부분의 비율을 띠 모양에 나타낸 그래프

책의 종류별 권수

→ 다른 것에 비해서 자료의 수가 적을 때 사용합니다.

종류	역사	과학	언어	문학	기타	합계
권수(권)	14	12	10	9	5	50
백분율(%)	28	24	20	18	10	100

$\dfrac{(종류별 \ 권수)}{(전체 \ 권수)} \times 100$

역사: $\dfrac{14}{50} \times 100 = 28\,(\%)$,

과학: $\dfrac{12}{50} \times 100 = 24\,(\%)$,

언어: $\dfrac{10}{50} \times 100 = 20\,(\%)$,

문학: $\dfrac{9}{50} \times 100 = 18\,(\%)$,

기타: $\dfrac{5}{50} \times 100 = 10\,(\%)$

합계는 항상 100 %입니다.

책의 종류별 권수

0　10　20　30　40　50　60　70　80　90　100(%)

역사 (28 %)	과학 (24 %)	언어 (20 %)	문학 (18 %)	기타 (10 %)

〈띠그래프를 보고 알 수 있는 내용〉

• 역사책이 가장 많습니다.

• 과학책의 백분율은 언어책의 백분율의 1.2배입니다.

• 기타를 제외하면 문학책의 백분율이 가장 적습니다.

➡ 각 항목끼리의 백분율을 쉽게 비교할 수 있습니다.

띠그래프의 특징

• 띠그래프에 표시된 눈금은 백분율을 나타냅니다.

• 띠그래프의 작은 눈금 한 칸은 1 %를 나타냅니다.

개념 ③ 띠그래프로 나타내기

• 띠그래프로 나타내는 방법

① 자료를 보고 각 항목의 백분율을 구합니다.

② 각 항목의 백분율의 합계가 100 %가 되는지 확인합니다.

③ 각 항목이 차지하는 백분율의 크기만큼 선을 그어 띠를 나눕니다.

④ 나눈 부분에 각 항목의 내용과 백분율을 씁니다.

⑤ 띠그래프의 제목을 씁니다.

개념 O X

맞으면 ○표, 틀리면 ×표 하세요.

띠그래프는 각 항목끼리의 백분율을 쉽게 비교할 수 있습니다.

[1~2] 지선이네 학교 학생들이 좋아하는 간식을 조사하여 나타낸 띠그래프입니다. 물음에 답하세요.

좋아하는 간식별 학생 수

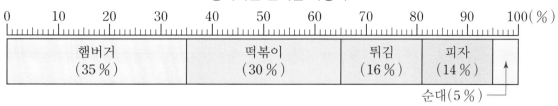

1 가장 많은 학생이 좋아하는 간식과 가장 적은 학생이 좋아하는 간식을 찾아 차례로 써 보세요.

(   ), (   )

2 전체 학생 수에 대한 떡볶이를 좋아하는 학생 수의 백분율은 몇 %인지 구해 보세요.

(   )

[3~4] 민준이네 학교 학생들이 놀러 가고 싶은 장소를 조사하여 나타낸 표입니다. 물음에 답하세요.

놀러 가고 싶은 장소별 학생 수

장소	놀이공원	동물원	산	바다	기타	합계
학생 수(명)	60	50	40	30	20	200
백분율(%)			20	15	10	100

3 전체 학생 수에 대한 놀러 가고 싶은 장소별 학생 수의 백분율을 구해 보세요.

- 놀이공원: $\dfrac{60}{200} \times 100 = \boxed{}$ (%)   • 동물원: $\dfrac{50}{200} \times 100 = \boxed{}$ (%)

4 위 **3**에서 구한 백분율을 이용하여 띠그래프를 완성해 보세요.

놀러 가고 싶은 장소별 학생 수

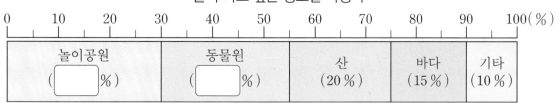

준비물 붙임딱지

각 항목과 백분율이 써 있는 붙임딱지를 붙여 띠그래프를 완성해 보세요.

좋아하는 동물별 학생 수

동물	강아지	고양이	햄스터	합계
학생 수(명)	70	50	80	200

0   10   20   30   40   50   60   70   80   90   100(%)

좋아하는 동물별 학생 수

동물	강아지	고양이	햄스터	토끼	합계
학생 수(명)	78	52	91	39	260

0   10   20   30   40   50   60   70   80   90   100(%)

보미의 비법 노트1

좋아하는 꽃별 학생 수

꽃	장미	튤립	백합	합계
학생 수(명)	45	105	150	300

0　　10　　20　　30　　40　　50　　60　　70　　80　　90　　100(%)

좋아하는 꽃별 학생 수

꽃	장미	튤립	백합	목련	합계
학생 수(명)	68	136	85	51	340

0　　10　　20　　30　　40　　50　　60　　70　　80　　90　　100(%)

[1~3] 자료를 조사하여 나타낸 표입니다. □ 안에 알맞은 수를 써넣고 그림그래프로 나타내어 보세요.

1

등교 방법별 학생 수

등교 방법	도보	자전거	지하철	버스
학생 수(명)	32	27	16	19

👤은 10명을, 👤은 1명을 나타냅니다.

자전거로 등교하는 학생 수는 27명입니다.

27명은 10명이 2개, 1명이 ☐개이므로

👤 2개, 👤 ☐개로 나타냅니다.

지하철로 등교하는 학생 수는 16명입니다.

16명은 10명이 ☐개, 1명이 ☐개이므

로 👤 ☐개, 👤 ☐개로 나타냅니다.

버스로 등교하는 학생 수는 ☐명입니다.

19명은 10명이 ☐개, 1명이 ☐개이므

로 👤 ☐개, 👤 ☐개로 나타냅니다.

등교 방법별 학생 수

등교 방법	학생 수
도보	👤 👤 👤 👤 👤
자전거	
지하철	
버스	

👤10명 👤1명

2

지역별 고구마 생산량

지역	가	나	다
생산량(t)	510	340	260

🍠은 100 t을, 🍃은 10 t을 니타냅니다.

가 지역 ➡ 🍠 ☐개, 🍃 1개

나 지역 ➡ 🍠 3개, 🍃 ☐개

다 지역 ➡ 🍠 ☐개, 🍃 ☐개

지역별 고구마 생산량

지역	생산량
가	
나	
다	

🍠 100 t 🍃 10 t

3

반별 빌려간 책 수

반	1반	2반	3반
책 수(권)	350	410	270

▨은 100권을, ▢은 10권을 나타냅니다.

1반 ➡ ▨ ☐개, ▢ ☐개

2반 ➡ ▨ ☐개, ▢ ☐개

3반 ➡ ▨ ☐개, ▢ ☐개

반별 빌려간 책 수

반	책 수
1반	
2반	
3반	

▨ 100권 ▢ 10권

[4~5] 표를 보고 백분율을 구하여 ☐ 안에 알맞은 수를 써넣으세요.

4

좋아하는 계절별 학생 수

계절	봄	여름	가을	겨울	합계
학생 수(명)	6	14	12	8	40

· 봄: $\frac{6}{40} \times 100 =$ ☐ (%)   · 여름: $\frac{14}{40} \times 100 =$ ☐ (%)

· 가을: $\frac{12}{40} \times 100 =$ ☐ (%)   · 겨울: $\frac{8}{40} \times 100 =$ ☐ (%)

➡ 백분율의 합계: ☐ + ☐ + ☐ + ☐ = ☐ (%)

좋아하는 계절별 학생 수

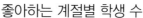
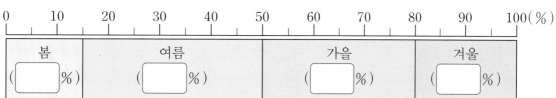

5

스마트폰 사용 시간별 학생 수

스마트폰 사용 시간	1시간 미만	1시간 이상 2시간 미만	2시간 이상 3시간 미만	3시간 이상	합계
학생 수(명)	90	140	160	110	500

· 1시간 미만: $\frac{90}{500} \times 100 =$ ☐ (%)

· 1시간 이상 2시간 미만: $\frac{140}{500} \times 100 =$ ☐ (%)

· 2시간 이상 3시간 미만: $\frac{160}{500} \times 100 =$ ☐ (%)

· 3시간 이상: $\frac{110}{500} \times 100 =$ ☐ (%)

➡ 백분율의 합계: ☐ + ☐ + ☐ + ☐ = ☐ (%)

스마트폰 사용 시간별 학생 수

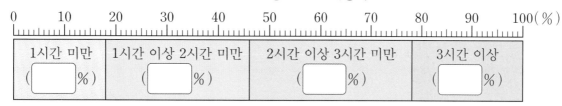

5 단원

1 용빈이네 학교 학생들이 좋아하는 과목을 조사하여 나타낸 표와 띠그래프입니다. 물음에 답하세요.

좋아하는 과목별 학생 수

과목	국어	수학	사회	과학	합계
학생 수(명)	60	70	20	50	200

좋아하는 과목별 학생 수

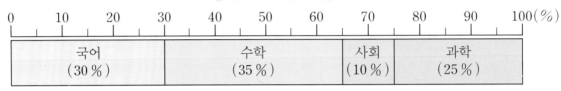

(1) 조사한 학생은 모두 몇 명인지 구해 보세요.

(   )

(2) 표와 띠그래프 중에서 전체에 대한 각 부분의 비율을 한눈에 알아보기 쉬운 것은 무엇일까요?

(   )

(3) 가장 많은 학생이 좋아하는 과목은 무엇이고 이 과목은 전체의 몇 %인지 차례로 써 보세요.

(   ), (   )

(4) 국어를 좋아하는 학생 수는 사회를 좋아하는 학생 수의 몇 배인지 구해 보세요.

(   )

(5) 좋아하는 학생 수가 많은 과목부터 차례로 써 보세요.

(   )

2 마을별 사과 생산량을 조사하여 나타낸 그림그래프입니다. 물음에 답하세요.

마을별 사과 생산량

마을	사과 생산량
사랑 마을	🍎🍎🍎🍎🍎🍎
달님 마을	🍎🍎🍎🍎🍎🍎🍎
햇빛 마을	🍎🍎🍎🍎🍎
행복 마을	🍎🍎🍎🍎🍎🍎🍎🍎🍎

🍎 100 kg　　🍎 10 kg

(1) 사과 생산량이 가장 많은 마을을 찾아 써 보세요.

(　　　　　　　　)

(2) 달님 마을의 사과 생산량은 몇 kg인지 구해 보세요.

(　　　　　　　　)

3 도시별 자동차 수를 조사하여 나타낸 표입니다. 표를 보고 그림그래프로 나타내어 보세요.

도시별 자동차 수

도시	가	나	다	라
자동차 수(대)	32000	50000	27000	43000

가	나
다	라

🚗 1만 대　　🚗 1천 대

4 영진이네 반 학생들의 혈액형을 조사하여 나타낸 표입니다. 물음에 답하세요.

혈액형별 학생 수

혈액형	A형	B형	O형	AB형	합계
학생 수(명)	10	6	16	8	40
백분율(%)	25				

(1) 전체 학생 수에 대한 혈액형별 학생 수의 백분율을 구해 보세요.

- A형: $\dfrac{10}{40} \times 100 = 25$ (%)
- B형: $\dfrac{\square}{40} \times 100 = \boxed{}$ (%)

- O형: $\dfrac{\square}{\square} \times 100 = \boxed{}$ (%)
- AB형: $\dfrac{\square}{\square} \times \boxed{} = \boxed{}$ (%)

(2) 각 항목의 백분율을 구하여 모두 더하면 얼마인지 ☐ 안에 알맞은 수를 써넣으세요.

$$25 + \boxed{} + \boxed{} + \boxed{} = \boxed{} \text{ (%)}$$

(3) 백분율을 보고 띠그래프를 완성해 보세요.

혈액형별 학생 수

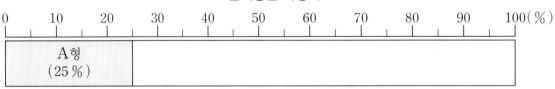

(4) 가장 많은 학생의 혈액형은 무엇인지 찾아 써 보세요.

(   )

(5) 가장 적은 학생의 혈액형은 무엇인지 찾아 써 보세요.

(   )

5 정우네 학교 학생들이 좋아하는 과일을 조사하여 나타낸 표입니다. 물음에 답하세요.

좋아하는 과일별 학생 수

과일	사과	배	귤	기타	합계
학생 수(명)	150	45	30	75	300
백분율(%)	50				

(1) 전체 학생 수에 대한 과일별 학생 수의 백분율을 구하여 표를 완성해 보세요.

(2) 표를 보고 띠그래프로 나타내어 보세요.

좋아하는 과일별 학생 수

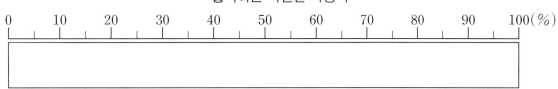

6 가은이네 학교 학생들이 좋아하는 동물을 조사하여 나타낸 띠그래프입니다. 물음에 답하세요.

좋아하는 동물별 학생 수

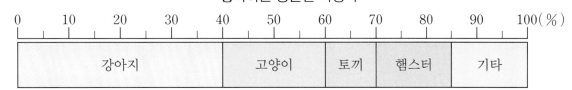

(1) 전체 학생 수에 대한 고양이를 좋아하는 학생 수의 백분율은 몇 %인지 구해 보세요.

( )

(2) 가장 많은 학생이 좋아하는 동물의 학생 수는 토끼를 좋아하는 학생 수의 몇 배인지 구해 보세요.

( )

(3) 토끼를 좋아하는 학생 수가 20명이라면 고양이를 좋아하는 학생 수는 몇 명인지 구해 보세요.

( )

개념 ④ 원그래프 알아보기

• 원그래프: 전체에 대한 각 부분의 비율을 원 모양에 나타낸 그래프

취미별 학생 수

취미	게임	운동	음악	독서	기타	합계
학생 수(명)	12	10	8	6	4	40
백분율(%)	30	25	20	15	10	100

게임: $\frac{12}{40} \times 100 = 30\,(\%)$,

운동: $\frac{10}{40} \times 100 = 25\,(\%)$,

음악: $\frac{8}{40} \times 100 = 20\,(\%)$,

독서: $\frac{6}{40} \times 100 = 15\,(\%)$,

기타: $\frac{4}{40} \times 100 = 10\,(\%)$

취미별 학생 수

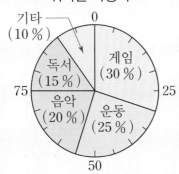

〈원그래프를 보고 알 수 있는 내용〉

• 게임이 취미인 학생이 가장 많습니다.

• 게임의 백분율은 독서의 백분율의 2배입니다.

• 기타를 제외하면 독서의 백분율이 가장 적습니다.

➡ 각 항목끼리의 백분율을 쉽게 비교할 수 있습니다.

개념 ⑤ 원그래프로 나타내기

• 원그래프로 나타내는 방법

① 자료를 보고 각 항목의 백분율을 구합니다.

② 각 항목의 백분율의 합계가 100 %가 되는지 확인합니다.

③ 각 항목들이 차지하는 백분율의 크기만큼 선을 그어 원을 나눕니다.

④ 나눈 부분에 각 항목의 내용과 백분율을 씁니다.

⑤ 원그래프의 제목을 씁니다.

개념 O X

🎓 맞으면 ○표, 틀리면 ×표 하세요.

각 항목의 백분율의 합계는 100 %가 되어야 합니다.

[1~2] 윤호네 학교 학생들이 배우고 있는 악기를 조사하여 나타 낸 원그래프입니다. 물음에 답하세요.

악기별 학생 수

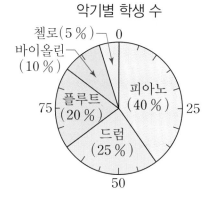

1 가장 많은 학생이 배우고 있는 악기와 가장 적은 학생이 배우고 있는 악기를 찾아 차례로 써 보세요.

(   ), (   )

2 전체 학생 수에 대한 플루트를 배우고 있는 학생 수의 백분율은 몇 %인지 구해 보세요.

(   )

[3~4] 수정이네 학교 학생들이 좋아하는 운동을 조사하여 나타낸 표입니다. 물음에 답하세요.

좋아하는 운동별 학생 수

운동	야구	축구	농구	피구	기타	합계
학생 수(명)	60	90	75	45	30	300
백분율(%)	20			15	10	100

3 전체 학생 수에 대한 좋아하는 운동별 학생 수의 백분율을 구해 보세요.

• 축구: $\dfrac{90}{300} \times 100 = \boxed{}$ (%)   • 농구: $\dfrac{75}{300} \times 100 = \boxed{}$ (%)

4 위 **3**에서 구한 백분율을 이용하여 원그래프를 완 성해 보세요.

좋아하는 운동별 학생 수

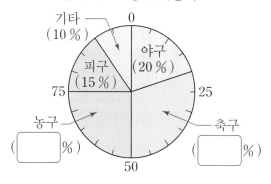

개념 6 그래프 해석해 보기

• 띠그래프 해석하기

연령별 인구 구성비의 변화

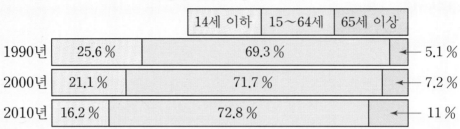

	14세 이하	15~64세	65세 이상
1990년	25.6 %	69.3 %	← 5.1 %
2000년	21.1 %	71.7 %	← 7.2 %
2010년	16.2 %	72.8 %	← 11 %

〈띠그래프를 보고 알 수 있는 내용〉

• 14세 이하의 인구 비율은 점점 감소하고 있습니다.

• 15~64세, 65세 이상의 인구 비율은 점점 증가하고 있습니다.

• 원그래프 해석하기

좋아하는 말별 학생 수

기타(3.6 %)
행복해(9.9 %)
고마워(9.9 %)
잘했어(26.6 %)
사랑해(50 %)

〈원그래프를 보고 알 수 있는 내용〉

• 좋아하는 말 중 10 % 이상의 비율을 차지하는 말은 사랑해, 잘했어입니다.

• 좋아하는 말 중 사랑해 또는 잘했어를 선택한 학생 수는 전체의 76.6 %입니다.

• 좋아하는 말 중 고마워와 행복해의 비율은 같습니다.

개념 7 여러 가지 그래프 비교해 보기

그림그래프	그림의 크기와 수로 수량의 많고 적음을 쉽게 알 수 있습니다.
띠그래프, 원그래프	전체에 대한 각 부분의 비율을 한눈에 알아보기 쉽습니다.
막대그래프	수량의 많고 적음을 한눈에 비교하기 쉽습니다.
꺾은선그래프	수량의 변하는 모습과 변하는 정도를 쉽게 알 수 있습니다.

개념 O X

맞으면 ○표, 틀리면 ✕표 하세요.

시간에 따른 항목의 크기 변화를 알아볼 때에는 꺾은선그래프가 편리합니다.

[1~3] 2017년부터 2019년까지 어느 회사의 제품별 판매량을 조사하여 각각 띠그래프로 나타내었습니다. 띠그래프를 보고 알 수 있는 내용이면 ○표, 알 수 없는 내용이면 ×표 하세요.

제품별 판매량

	A제품	B제품	C제품
2017년	14 %	63 %	23 %
2018년	18 %	64 %	18 %
2019년	20 %	65 %	15 %

1 띠그래프만 보고 2017년의 C 제품의 판매량을 알 수 있습니다. ( )

2 A 제품의 판매량의 비율이 점점 늘어나고 있습니다. ( )

3 A 제품과 C 제품의 판매량의 비율이 같은 해는 2018년입니다. ( )

[4~6] 상미네 학교 학생들이 존경하는 위인을 조사하여 나타낸 원그래프입니다. 물음에 답하세요.

존경하는 위인별 학생 수

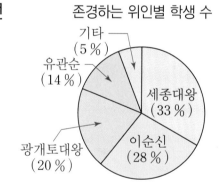

4 존경하는 위인 중 25 % 이상의 비율을 차지하는 위인을 모두 찾아 써 보세요.

( )

5 광개토대왕 또는 유관순을 존경하는 학생 수는 전체의 몇 %인지 구해 보세요.

( )

6 유관순을 존경하는 학생이 70명이라면 이순신을 존경하는 학생은 몇 명인지 구해 보세요.

( )

5

단원

준비물 붙임딱지

각 항목과 백분율이 써 있는 붙임딱지를 붙여 원그래프를 완성해 보세요.

좋아하는 운동별 학생 수

운동	축구	농구	야구	합계
학생 수(명)	100	30	70	200

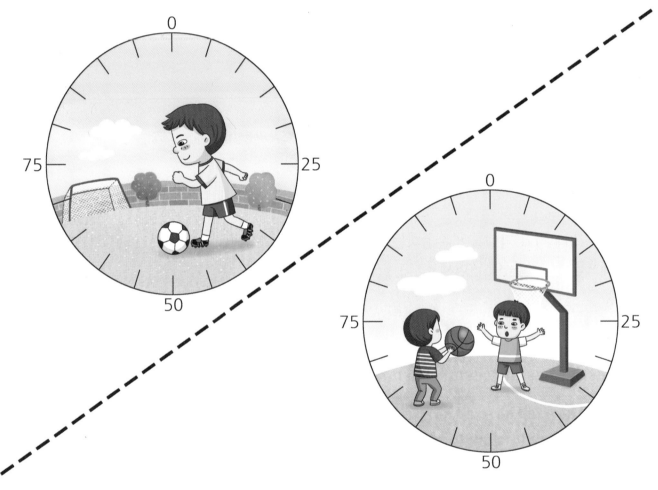

좋아하는 운동별 학생 수

운동	축구	농구	야구	피구	합계
학생 수(명)	70	56	42	112	280

보미의 비법 노트2

좋아하는 과일별 학생 수

과일	사과	포도	배	합계
학생 수(명)	75	135	90	300

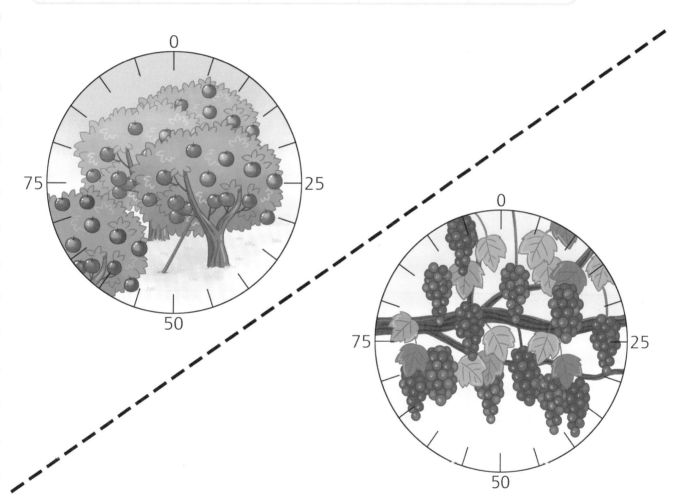

좋아하는 과일별 학생 수

과일	사과	포도	배	귤	합계
학생 수(명)	126	54	72	108	360

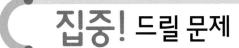

[1~2] 표를 보고 백분율을 구하여 □ 안에 알맞은 수를 써넣으세요.

1

키우는 동물별 학생 수

동물	강아지	고양이	햄스터	기타	합계
학생 수(명)	100	160	80	60	400

· 강아지: $\dfrac{100}{400} \times 100 =$ □ (%)   · 고양이 : $\dfrac{160}{400} \times 100 =$ □ (%)

· 햄스터: $\dfrac{80}{400} \times 100 =$ □ (%)   · 기타: $\dfrac{60}{400} \times 100 =$ □ (%)

➔ 백분율의 합계: □ + □ + □ + □ = □ (%)

키우는 동물별 학생 수

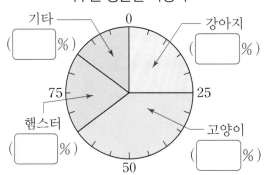

2

좋아하는 생선별 학생 수

생선	참치	갈치	연어	기타	합계
학생 수(명)	65	80	75	30	250

· 참치 : $\dfrac{65}{250} \times 100 =$ □ (%)   · 갈치: $\dfrac{80}{250} \times 100 =$ □ (%)

· 연어: $\dfrac{75}{250} \times 100 =$ □ (%)   · 기타: $\dfrac{30}{250} \times 100 =$ □ (%)

➔ 백분율의 합계: □ + □ + □ + □ = □ (%)

좋아하는 생선별 학생 수

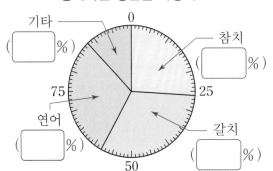

3 좋아하는 과목별 학생 수를 조사하여 나타낸 띠그래프입니다. 물음에 답하세요.

좋아하는 과목별 학생 수

(1) 가장 높은 비율을 차지하는 항목은 무엇인지 찾아 써 보세요.

( )

(2) 국어 또는 과학을 좋아하는 학생은 전체의 몇 %인지 구해 보세요.

( )

(3) 수학을 좋아하는 학생 수는 사회를 좋아하는 학생 수의 몇 배인지 구해 보세요.

( )

(4) 조사한 전체 학생 수가 160명이라면 국어를 좋아하는 학생은 몇 명인지 구해 보세요.

( )

4 받고 싶은 선물별 학생 수를 조사하여 나타낸 원그래프입니다. 물음에 답하세요.

받고 싶은 선물별 학생 수

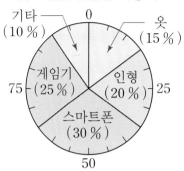

(1) 두 번째로 많은 학생이 받고 싶은 선물은 무엇인지 구해 보세요.

( )

(2) 받고 싶은 선물 중 25 % 이상의 비율을 차지하는 선물을 모두 찾아 써 보세요.

( )

(3) 스마트폰을 받고 싶은 학생 수는 옷을 받고 싶은 학생 수의 몇 배인지 구해 보세요.

( )

(4) 기타에 속하는 학생이 30명이라면 인형을 받고 싶은 학생은 몇 명인지 구해 보세요.

( )

1 승기네 학교 학생들이 좋아하는 간식을 조사하여 나타낸 표와 원그래프입니다. 물음에 답하세요.

좋아하는 간식별 학생 수

간식	떡볶이	튀김	쫄면	핫도그	합계
학생 수(명)	84	48	72	36	
백분율(%)	35	20	30	15	

좋아하는 간식별 학생 수

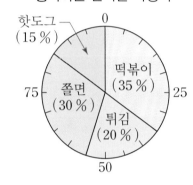

(1) 위 표를 완성해 보세요.

(2) 가장 많은 학생이 좋아하는 간식은 무엇이고 이 간식은 전체의 몇 % 인지 차례로 써 보세요.

(   ), (   )

(3) 쫄면을 좋아하는 학생 수는 핫도그를 좋아하는 학생 수의 몇 배인지 구해 보세요.

(   )

(4) 좋아하는 학생 수가 많은 간식부터 차례로 써 보세요.

(   )

2 어떤 그래프를 이용하면 편리하게 알 수 있는지 알맞은 그래프를 모두 찾아 기호를 써 보세요.

> ㉠ 막대그래프   ㉡ 꺾은선그래프   ㉢ 띠그래프   ㉣ 원그래프

(1)   우리 반 친구들이 좋아하는 과목 ➡ (   )

(2)   내 몸무게의 월별 변화 ➡ (   )

3 진주네 반 학생들의 성씨를 조사하여 나타낸 표입니다. 물음에 답하세요.

성씨별 학생 수

성씨	김씨	이씨	박씨	문씨	기타	합계
학생 수(명)	8	4	5	3	5	25
백분율(%)	32					

(1) 전체 학생 수에 대한 성씨별 학생 수의 백분율을 구하여 표를 완성해 보세요.

(2) 표를 보고 원그래프로 나타내어 보세요.

성씨별 학생 수

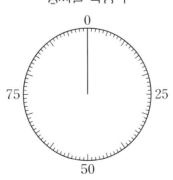

4 준수네 반 학생들이 즐겨 읽는 책의 종류를 조사하여 나타낸 띠그래프입니다. 물음에 답하세요.

즐겨 읽는 책의 종류

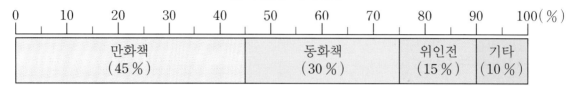

(1) 만화책을 즐겨 읽는 학생 수는 위인전을 즐겨 읽는 학생 수의 몇 배인지 구해 보세요.

( )

(2) 기타에 속하는 학생이 2명이라면 동화책을 즐겨 읽는 학생은 몇 명인지 구해 보세요.

( )

5 보미네 학교 학생들이 좋아하는 TV 프로그램을 조사하여 나타낸 원그래프입니다. 물음에 답하세요.

좋아하는 TV 프로그램별 학생 수

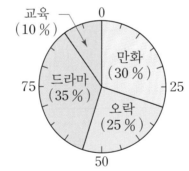

(1) 어느 프로그램의 비율이 가장 높은지 찾아 써 보세요.

( )

(2) 오락 또는 교육을 좋아하는 학생은 전체의 몇 %인지 구해 보세요.

( )

(3) 조사한 전체 학생 수가 180명이라면 만화를 좋아하는 학생은 몇 명인지 구해 보세요.

( )

6 호동이네 학교 학생들이 좋아하는 계절을 조사하여 나타낸 막대그래프입니다. 물음에 답하세요.

좋아하는 계절별 학생 수

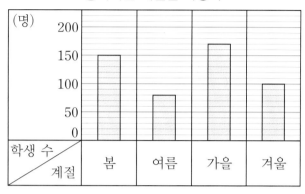

(1) 위 막대그래프를 보고 표를 완성해 보세요.

좋아하는 계절별 학생 수

계절	봄	여름	가을	겨울	합계
학생 수(명)	150				
백분율(%)	30				100

(2) 위 표를 보고 띠그래프로 나타내어 보세요.

좋아하는 계절별 학생 수

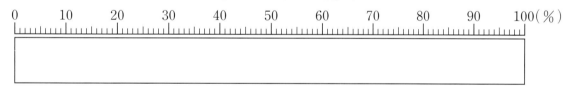

(3) 원그래프로 나타내어 보세요.

좋아하는 계절별 학생 수

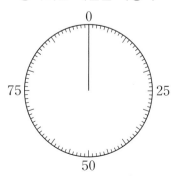

개념 확인평가

5. 여러 가지 그래프

1 전체에 대한 각 부분의 비율을 한눈에 알 수 있는 그래프를 모두 찾아보세요. …… (   )

   ① 막대그래프   ② 꺾은선그래프   ③ 그림그래프

   ④ 띠그래프   ⑤ 원그래프

[2~4] 어느 지역의 과수원별 배 생산량을 조사하여 나타낸 표와 그림그래프입니다. 물음에 답하세요.

과수원별 배 생산량

과수원	가	나	다	라
생산량(kg)		340		410

과수원별 배 생산량

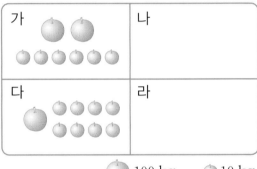

2 그림그래프를 보고 표의 빈칸에 알맞은 수를 써넣으세요.

3 ☐ 안에 알맞은 수를 써넣으세요.

🍐은 100 kg, 🍐은 10 kg을 나타낸다고 할 때 나 과수원의 배 생산량은

🍐 ☐개, 🍐 ☐개로 나타냅니다.

4 표를 보고 그림그래프를 완성해 보세요.

[5~7] 연서네 학교 학생들이 가고 싶은 산을 조사하여 나타낸 띠그래프입니다. 물음에 답하세요.

가고 싶은 산별 학생 수

0 10 20 30 40 50 60 70 80 90 100(%)

한라산 (30 %)	지리산 (20 %)	북한산 (15 %)	남산 (15 %)	기타 (20 %)

5 가장 높은 비율을 차지하는 산을 찾아 써 보세요.

(   )

6 북한산과 비율이 같은 산을 찾아 써 보세요.

(   )

7 한라산에 가고 싶은 학생 수는 남산에 가고 싶은 학생 수의 몇 배인지 구해 보세요.

(   )

[8~9] 어느 마을의 채소별 생산량을 조사하여 나타낸 원그래프입니다. 물음에 답하세요.

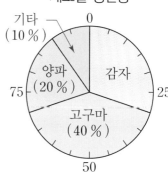

채소별 생산량

8 양파 생산량이 250 kg일 때 고구마 생산량은 몇 kg인지 구해 보세요.

(   )

9 전체 생산량이 1250 kg일 때 감자 생산량은 몇 kg인지 구해 보세요.

(   )

[10~13] 어느 마을의 재활용품별 배출량을 조사하여 나타낸 그림그래프입니다. 물음에 답하세요.

재활용품별 배출량

종류	배출량
종이류	
플라스틱류	
병류	
비닐류	

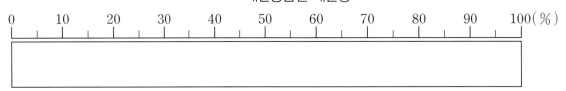

100 kg
10 kg

10 표를 완성해 보세요.

재활용품별 배출량

종류	종이류	플라스틱류	병류	비닐류	합계
배출량(kg)	150	180		60	
백분율(%)			35		100

11 띠그래프로 나타내어 보세요.

재활용품별 배출량

0 10 20 30 40 50 60 70 80 90 100(%)

12 막대그래프로 나타내어 보세요.

재활용품별 배출량

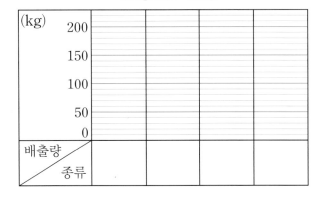

13 원그래프로 나타내어 보세요.

재활용품별 배출량

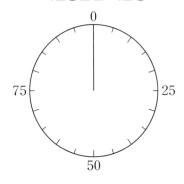

6 직육면체의 부피와 겉넓이

교과서 개념 잡기

→ 어떤 물건이 공간에서 차지하는 크기

개념 ① 직육면체의 부피를 비교하기

• 직접 맞대어 부피 비교하기

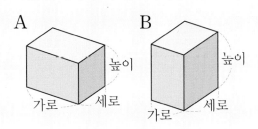

가로: A>B, 세로: A<B, 높이: A<B →

➡ 직육면체 A와 B의 가로, 세로, 높이는 각각 맞대어 비교할 수 있지만 어느 직육면체의 부피가 더 큰지 정확히 비교할 수 없습니다.

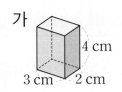 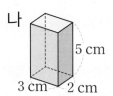

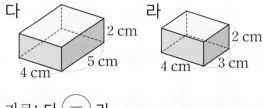

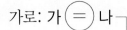

가로: 가 = 나 ┐
세로: 가 = 나 ┤→ 부피: 가 < 나
높이: 가 < 나 ┘

가로: 다 = 라 ┐
세로: 다 > 라 ┤→ 부피: 다 > 라
높이: 다 = 라 ┘

가로, 세로, 높이 중 2개의 길이가 같을 때 나머지 하나를 비교하면 부피를 비교할 수 있어요.

• 쌓기나무를 사용하여 부피 비교하기

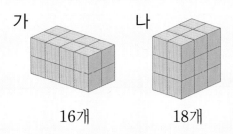

16개　　　　18개

➡ 쌓기나무 수가 더 많은 것은 나이므로 부피를 비교하면 가 < 나입니다.

> 쌓기나무 수가 많을수록 부피가 더 큽니다.

개념 O X

🎓 직육면체의 부피를 비교한 설명이 맞으면 ○표, 틀리면 ✕표 하세요.

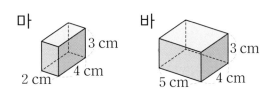 

세로와 높이가 각각 같으므로 가로를 비교하면 바의 부피가 더 큽니다.

1 직육면체 모양 상자의 부피를 비교하려고 합니다. 물음에 답하세요.

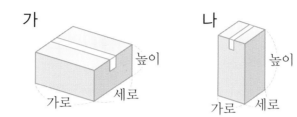

(1) 가로, 세로, 높이를 각각 비교하여 ○ 안에 ＞, ＝, ＜를 알맞게 써넣으세요.

가로: 가 ◯ 나   세로: 가 ◯ 나   높이: 가 ◯ 나

(2) 알맞은 말에 ○표 하세요.

가와 나 중 어느 상자의 부피가 더 큰지 정확히 비교할 수 (있습니다 , 없습니다).

2 부피가 더 큰 직육면체의 기호를 써 보세요.

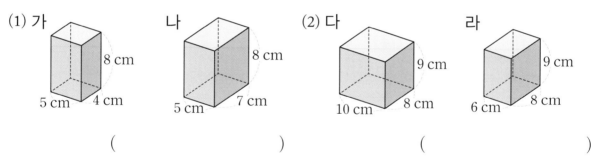

(1) 가   나   (2) 다   라

8 cm   8 cm   9 cm   9 cm

5 cm 4 cm   5 cm 7 cm   10 cm 8 cm   6 cm 8 cm

(   )   (   )

3 크기가 같은 쌓기나무를 사용하여 다음과 같이 직육면체 모양으로 쌓았습니다. 물음에 답하세요.

가   나

(1) 가와 나에 사용한 쌓기나무는 각각 몇 개일까요?

가 (   ), 나 (   )

(2) 부피가 더 큰 직육면체 모양의 기호를 써 보세요.

(   )

개념 ② 직육면체의 부피를 구하는 방법을 알아보기

- **부피의 단위**

부피를 나타낼 때 한 모서리의 길이가 1 cm인 정육면체의 부피를 단위로 사용할 수 있습니다.

이 정육면체의 부피를 1 cm³라 쓰고, 1 세제곱센티미터라고 읽습니다.

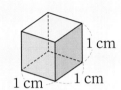

따라 써 보세요.

- **직육면체의 부피 구하기**

→ 부피가 1 cm³인 쌓기나무의 수를 세어 부피 구하기

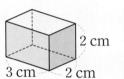

(쌓기나무의 수)＝3×2×2＝12(개)

➡ 부피가 1 cm³인 쌓기나무가 12개이므로
직육면체의 부피는 12 cm³입니다.

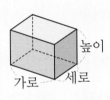
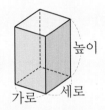
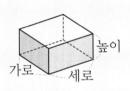

(직육면체의 부피)
＝(가로)×(세로)×(높이)
＝(밑면의 넓이)×(높이)

- **정육면체의 부피 구하기**

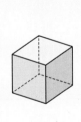
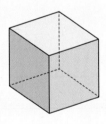

(정육면체의 부피)
＝(한 모서리의 길이)
　×(한 모서리의 길이)
　×(한 모서리의 길이)

정육면체는
모서리의 길이가
모두 같기 때문에
가로, 세로, 높이가
모두 같아요.

개념 O X

정육면체의 부피를 바르게 나타낸 사람에게 ◯표 하세요.

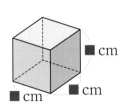

모서리의 길이가
같으므로
(■×3) cm³
이에요.

한 모서리의 길이를
세 번 곱하면
(■×■×■) cm³
이에요.

1 부피가 1 cm³와 가장 비슷한 물건을 찾아 ○표 하세요.

> 필통   책상   선풍기   각설탕   컴퓨터

2 부피가 1 cm³인 쌓기나무로 다음과 같이 직육면체를 만들었습니다. 직육면체의 부피를 구해 보세요.

(1)

(2)

> 부피가 1 cm³인 쌓기나무가 ■개이면 부피는 ■ cm³ 이에요.

(   )   (   )

3 직육면체의 부피를 구하려고 합니다. ☐ 안에 알맞은 수를 써넣으세요.

(1)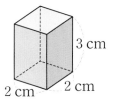

3 cm
2 cm   2 cm

➡ (직육면체의 부피)

= ☐ × ☐ × ☐

= ☐ (cm³)

(2)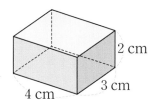

2 cm
3 cm
4 cm

➡ (직육면체의 부피)

= ☐ × ☐ × ☐

= ☐ (cm³)

4 정육면체의 부피를 구하려고 합니다. ☐ 안에 알맞은 수를 써넣으세요.

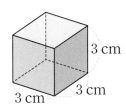

3 cm
3 cm   3 cm

➡ (정육면체의 부피) = ☐ × ☐ × ☐

= ☐ (cm³)

6 단원

집중! 드릴 문제

[1~4] 직육면체를 맞대어 부피를 비교하려고 합니다. 부피가 더 큰 직육면체의 기호를 써 보세요.

1
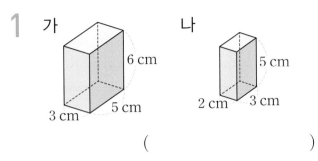

가   나

6 cm 5 cm
3 cm 5 cm 2 cm 3 cm

(   )

2
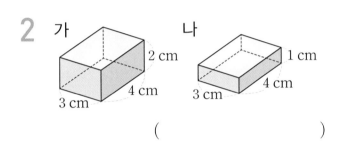

가   나

2 cm 1 cm
3 cm 4 cm 3 cm 4 cm

(   )

3
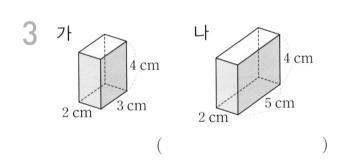

가   나

4 cm 4 cm
2 cm 3 cm 2 cm 5 cm

(   )

4
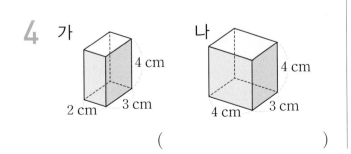

가   나

4 cm 4 cm
2 cm 3 cm 4 cm 3 cm

(   )

[5~8] 부피가 1 cm³인 쌓기나무로 직육면체를 만들었습니다. 직육면체의 부피를 구해 보세요.

5
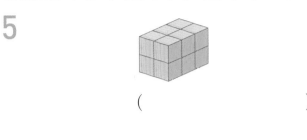

(   )

6
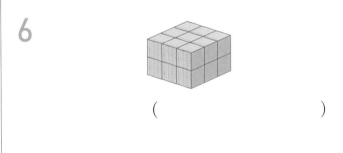

(   )

7
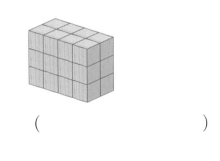

(   )

8
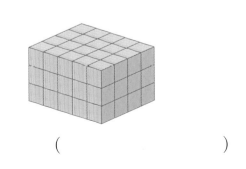

(   )

[9~13] 직육면체의 부피를 구해 보세요.

9

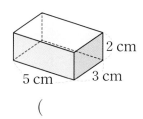

2 cm
5 cm   3 cm

(   )

10

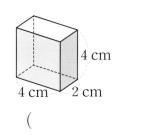

4 cm
4 cm   2 cm

(   )

11

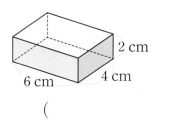

2 cm
6 cm   4 cm

(   )

12

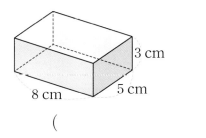

3 cm
8 cm   5 cm

(   )

13

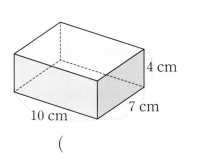

4 cm
10 cm   7 cm

(   )

[14~18] 정육면체의 부피를 구해 보세요.

14

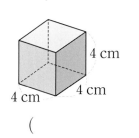

4 cm
4 cm   4 cm

(   )

15

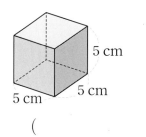

5 cm
5 cm   5 cm

(   )

16

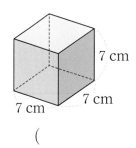

7 cm
7 cm   7 cm

(   )

17

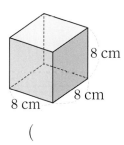

8 cm
8 cm   8 cm

(   )

18

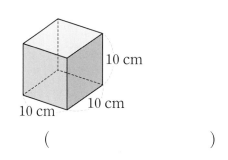

10 cm
10 cm   10 cm

(   )

6

단원

1 부피가 더 큰 직육면체 모양의 상자에 ◯표 하세요.

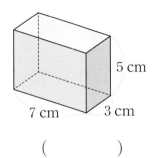

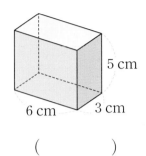

(   )   (   )

2 그림을 보고 ☐ 안에 알맞게 써넣으세요.

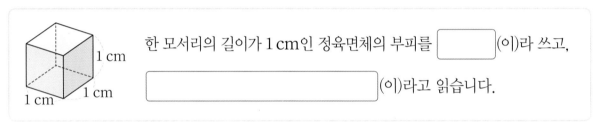

한 모서리의 길이가 1 cm인 정육면체의 부피를 [   ](이)라 쓰고,

[   ](이)라고 읽습니다.

3 직육면체의 부피를 구하는 식을 쓰려고 합니다. ☐ 안에 알맞은 말을 써넣으세요.

(직육면체의 부피)=([   ])×([   ])×([   ])

4 다음과 같은 직육면체의 부피는 몇 cm³일까요?

가로가 6 cm, 세로가 3 cm, 높이가 10 cm인 직육면체

(   )

5 크기가 같은 쌓기나무를 사용하여 다음과 같이 직육면체 모양으로 쌓은 후 부피를 비교하려고 합니다. 물음에 답하세요.

가
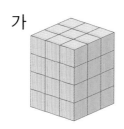

나
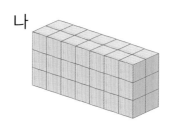

(1) 가와 나에 사용한 쌓기나무는 각각 몇 개일까요?

가 (   ), 나 (   )

(2) 가와 나 중에서 부피가 더 큰 직육면체는 어느 것일까요?

(   )

6 부피가 1 cm^3인 쌓기나무를 사용하여 다음과 같이 직육면체 모양으로 쌓았습니다. 쌓기나무의 수를 세어 직육면체의 부피를 구해 보세요.

(1)

☐ 개 ➡ ☐ cm^3

(2)

☐ 개 ➡ ☐ cm^3

7 직육면체의 부피는 몇 cm^3일까요?

(1)
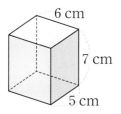
6 cm
7 cm
5 cm

(   )

(2)
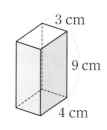
3 cm
9 cm
4 cm

(   )

8 정육면체의 부피를 구하는 식을 쓰려고 합니다. ☐ 안에 알맞은 말을 써넣으세요.

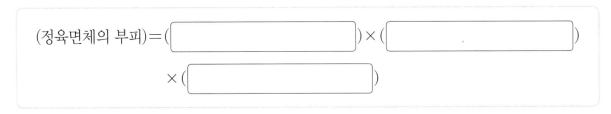

(정육면체의 부피)=(   )×(   )
×(   )

9 한 모서리의 길이가 4 cm인 정육면체의 부피는 몇 cm^3일까요?

(   )

10 정육면체의 부피는 몇 cm^3일까요?

(1)
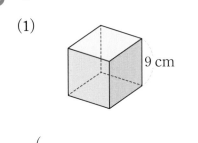
9 cm

(   )

(2)
11 cm

(   )

11 정육면체 가와 직육면체 나 중에서 부피가 더 큰 것을 찾아 기호를 써 보세요.

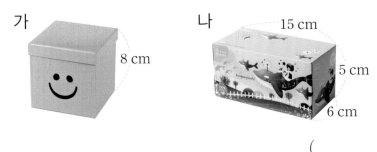

가   8 cm   나   15 cm   5 cm   6 cm

(   )

12 직육면체에서 색칠한 한 면의 넓이와 높이를 나타낸 것입니다. 직육면체의 부피는 몇 cm³일까요?

(1)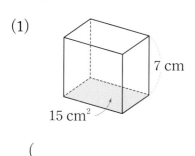

7 cm

15 cm²

(   )

(2)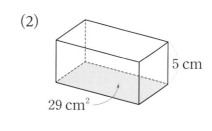

5 cm

29 cm²

(   )

13 다음 전개도로 만든 정육면체의 부피는 몇 cm³일까요?

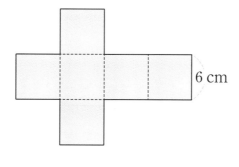

6 cm

(   )

14 다음 직육면체 모양 보석함의 부피는 7200 cm³입니다. ☐ 안에 알맞은 수를 구해 보세요.

20 cm

10 cm

☐ cm

(   )

개념 **3** m³를 알아보기

• 부피의 큰 단위

부피를 나타낼 때 한 모서리의 길이가 1 m인 정육면체의 부피를 단위로 사용할 수 있습니다.

이 정육면체의 부피를 1 m³라 쓰고, 1 세제곱미터라고 읽습니다.

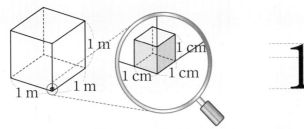

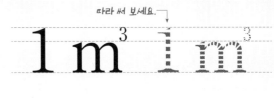

• 1 m³와 1 cm³의 관계

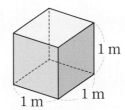

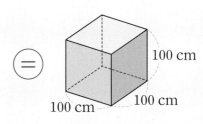

➡ 부피가 1 m³인 정육면체는 부피가 1 cm³인 쌓기나무를 가로에 100개, 세로에 100개, 높이에 100층을 쌓아야 하므로 쌓기나무는 모두 $100 \times 100 \times 100 = 1000000$(개) 필요합니다.

$$1 \, m^3 = 1 \, m \times 1 \, m \times 1 \, m$$
$$= 100 \, cm \times 100 \, cm \times 100 \, cm$$
$$= 1000000 \, cm^3$$

$1 \, m^3 = 1000000 \, cm^3$

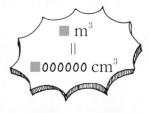

$\blacksquare \, m^3$
$=$
$\blacksquare\,000000 \, cm^3$

🎮 개념 **O X**

🎓 1 m³에 대해 잘못 설명한 것에 ✕표 하세요.

| 한 모서리의 길이가 1 m인 정육면체의 부피입니다. | 1 세제곱미터라고 읽습니다. | 100000 cm³와 같습니다. |

▲ 출처 ⓒ PixMarket, shutterstock

1 정육면체의 부피를 주어진 단위로 각각 나타내려고 합니다. □ 안에 알맞은 수를 써넣으세요.

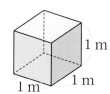

$\boxed{}$ m³

$\boxed{}$ cm³

2 □ 안에 알맞은 수를 써넣으세요.

(1) $2\,\text{m}^3 = \boxed{}$ cm³

(2) $13\,\text{m}^3 = \boxed{}$ cm³

(3) $5000000\,\text{cm}^3 = \boxed{}$ m³

(4) $22000000\,\text{cm}^3 = \boxed{}$ m³

3 직육면체의 부피는 몇 m³인지 구하려고 합니다. □ 안에 알맞은 수를 써넣으세요.

(1)

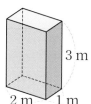

→ (부피)$= \boxed{} \times \boxed{} \times \boxed{}$

$= \boxed{}$ (m³)

(2)

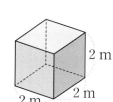

→ (부피)$= \boxed{} \times \boxed{} \times \boxed{}$

$= \boxed{}$ (m³)

 단위에 주의!

4 직육면체의 부피는 몇 cm³일까요?

(1)

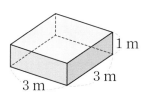

(   )

(2)

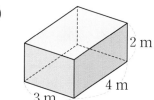

(   )

└→ 물체 겉면의 넓이

개념 **④ 직육면체의 겉넓이**를 구하는 방법을 알아보기

• 직육면체의 겉넓이

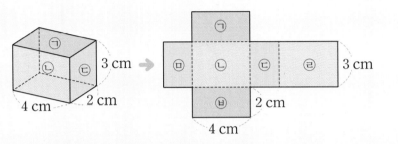

직육면체의 겉넓이는 직육면체 여섯 면의 넓이의 합이에요.

방법1 여섯 면의 넓이의 합으로 구하기

$$㉠＋㉡＋㉢＋㉣＋㉤＋㉥＝(4×2)＋(4×3)＋(2×3)＋(4×3)＋(2×3)＋(4×2)$$
$$＝8＋12＋6＋12＋6＋8＝52 \,(\text{cm}^2)$$

방법2 합동인 면이 3쌍이므로 세 면의 넓이(㉠, ㉡, ㉢)를 구해 각각 2배 한 뒤 더하기

$$㉠×2＋㉡×2＋㉢×2＝(4×2)×2＋(4×3)×2＋(2×3)×2$$
$$＝16＋24＋12＝52 \,(\text{cm}^2)$$

방법3 합동인 면이 3쌍이므로 세 면의 넓이(㉠, ㉡, ㉢)의 합을 구한 뒤 2배 하기

$$(㉠＋㉡＋㉢)×2＝(4×2＋4×3＋2×3)×2＝(8＋12＋6)×2＝52 \,(\text{cm}^2)$$

방법4 두 밑면의 넓이와 옆면의 넓이를 더하기

$$(한 밑면의 넓이)×2＋(옆면의 넓이)＝㉠×2＋(㉤＋㉡＋㉢＋㉣)$$
$$＝(4×2)×2＋(2＋4＋2＋4)×3$$
$$＝16＋36＝52 \,(\text{cm}^2)$$

• 정육면체의 겉넓이

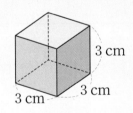

방법1 여섯 면의 넓이의 합으로 구하기

$$3×3＋3×3＋3×3＋3×3＋3×3＋3×3＝54 \,(\text{cm}^2)$$

방법2 한 면의 넓이를 6배 하기

$$(3×3)×6＝54 \,(\text{cm}^2)$$

🎮 **개념 O X**

🎓 정육면체의 겉넓이를 구하는 식을 바르게 나타낸 것에 ◯표 하세요.

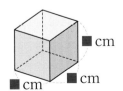

[1~3] 직육면체의 겉넓이를 여러 가지 방법으로 구하려고 합니다. 물음에 답하세요.

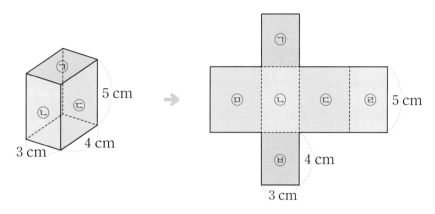

1 여섯 면의 넓이의 합으로 구하려고 합니다. ☐ 안에 알맞은 수를 써넣으세요.

$$㉠+㉡+㉢+㉣+㉤+㉥=12+15+\boxed{}+15+\boxed{}+\boxed{}$$
$$=\boxed{} \text{(cm}^2)$$

2 합동인 면이 3쌍임을 이용하여 구하려고 합니다. ☐ 안에 알맞은 수를 써넣으세요.

$$(㉠+㉡+㉢)\times2=(12+15+\boxed{})\times2=\boxed{}\text{(cm}^2)$$

3 두 밑면의 넓이와 옆면의 넓이를 더하여 구하려고 합니다. ☐ 안에 알맞은 수를 써넣으세요.

$$㉠\times2+(㉤+㉡+㉢+㉣)=12\times2+(4+3+\boxed{}+\boxed{})\times5=\boxed{}\text{(cm}^2)$$

4 정육면체의 겉넓이를 구하려고 합니다. ☐ 안에 알맞은 수를 써넣으세요.

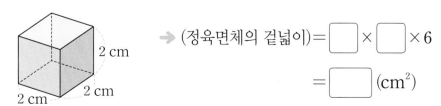

➡ (정육면체의 겉넓이)$=\boxed{}\times\boxed{}\times6$

$$=\boxed{}\text{(cm}^2)$$

번호표에 표기된 부피가 같은 학생끼리 같은 팀입니다.
같은 팀끼리 모여 있도록 번호표에 알맞은 부피를 붙여 보세요.

준비물 붙임딱지

각 상자에는 상자의 겉넓이가 적혀 있는 손선풍기가 들어 있습니다.
알맞은 손선풍기를 찾아 상자 앞면에 붙여 보세요.

[1~10] □ 안에 알맞은 수를 써넣으세요.

1 1 m³ = ⬚ cm³

2 3 m³ = ⬚ cm³

3 9 m³ = ⬚ cm³

4 10 m³ = ⬚ cm³

5 2.1 m³ = ⬚ cm³

6 4000000 cm³ = ⬚ m³

7 8000000 cm³ = ⬚ m³

8 20000000 cm³ = ⬚ m³

9 38000000 cm³ = ⬚ m³

10 5200000 cm³ = ⬚ m³

[11~15] 직육면체의 부피를 구하려고 합니다.
□ 안에 알맞은 수를 써넣으세요.

11
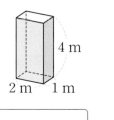
⬚ cm³

12
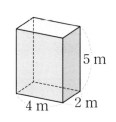
⬚ cm³

13
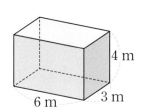
⬚ cm³

14
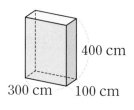
⬚ m³

15
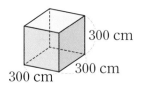
⬚ m³

[16~20] 직육면체의 겉넓이를 구해 보세요.

16
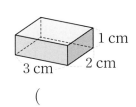
1 cm
2 cm
3 cm
(   )

17
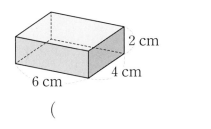
2 cm
4 cm
6 cm
(   )

18
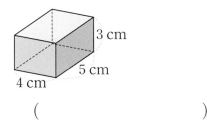
3 cm
5 cm
4 cm
(   )

19
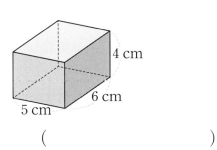
4 cm
6 cm
5 cm
(   )

20
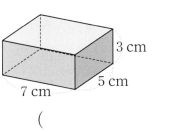
3 cm
5 cm
7 cm
(   )

[21~25] 정육면체의 겉넓이를 구해 보세요.

21
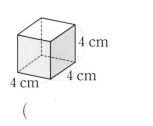
4 cm
4 cm
4 cm
(   )

22
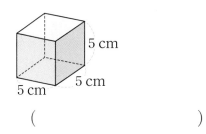
5 cm
5 cm
5 cm
(   )

23
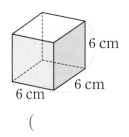
6 cm
6 cm
6 cm
(   )

24
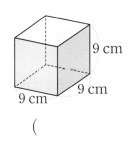
9 cm
9 cm
9 cm
(   )

25
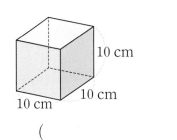
10 cm
10 cm
10 cm
(   )

6

단원

1 직육면체의 가로, 세로, 높이를 m로 나타내어 부피를 구하려고 합니다. 물음에 답하세요.

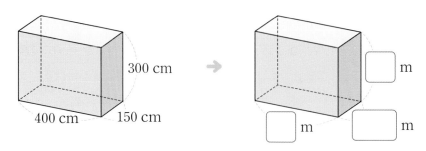

(1) ☐ 안에 알맞은 수를 써넣으세요.

(2) 직육면체의 부피는 몇 m^3일까요?

(   )

2 ☐ 안에 알맞은 수를 써넣으세요.

(1) $7 \text{ m}^3 = $ ☐ cm^3

(2) $2.6 \text{ m}^3 = $ ☐ cm^3

(3) $2000000 \text{ cm}^3 = $ ☐ m^3

(4) $8500000 \text{ cm}^3 = $ ☐ m^3

먼저
1 m^3와 1 cm^3의
관계를 알아봐요.

3 직육면체의 부피를 주어진 단위로 각각 나타내어 보세요.

(1)

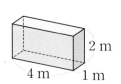

(   ) m^3
(   ) cm^3

(2)

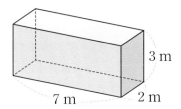

(   ) m^3
(   ) cm^3

4 정육면체의 부피를 주어진 단위로 각각 나타내어 보세요.

(1) 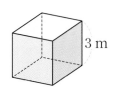　3 m

(　　　　　) m³
(　　　　　) cm³

(2) 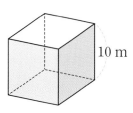　10 m

(　　　　　) m³
(　　　　　) cm³

5 관계있는 것끼리 선으로 이어 보세요.

3000000 cm³ 　•　　　　　•　 30 m³

30000000 cm³ 　•　　　　　•　 0.3 m³

300000 cm³ 　•　　　　　•　 3 m³

6 직육면체와 정육면체의 겉넓이를 구하는 식을 쓰려고 합니다. ☐ 안에 알맞은 수를 써넣으세요.

(1) (직육면체의 겉넓이)＝(한 꼭짓점에서 만나는 세 면의 넓이의 합)×☐

(2) (정육면체의 겉넓이)＝(한 면의 넓이)×☐

6 단원

7 직육면체의 겉넓이를 구하려고 합니다. ☐ 안에 알맞은 수를 써넣으세요.

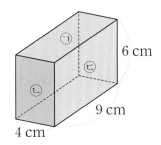
6 cm
9 cm
4 cm

(㉠의 넓이＋㉡의 넓이＋㉢의 넓이)×2

＝(☐ ＋ ☐ ＋ ☐)×2

＝☐ (cm²)

8 직육면체 모양 상자의 겉넓이는 몇 cm²일까요?

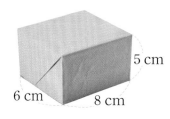

( )

9 정육면체 모양 나무토막의 겉넓이는 몇 cm²일까요?

(1)   7 cm   (2)   11 cm

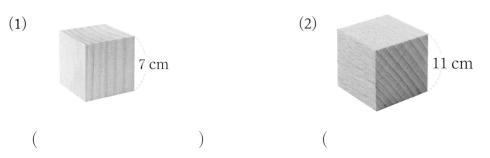

( )   ( )

10 부피를 비교하여 ◯ 안에 >, =, <를 알맞게 써넣으세요.

(1) 13000000 cm³ ◯ 10 m³   (2) 800000 cm³ ◯ 8 m³

11 다음 전개도로 만든 정육면체의 겉넓이는 몇 cm²일까요?

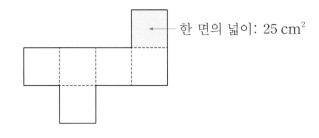

한 면의 넓이: 25 cm²

( )

12 직육면체의 겉넓이를 구하려고 합니다. □ 안에 알맞은 수를 써넣으세요.

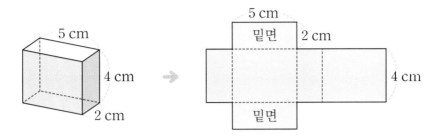

(직육면체의 겉넓이)＝(한 밑면의 넓이)×2＋(옆면의 넓이)

$$= \boxed{} \times 2 + 14 \times \boxed{}$$

$$= \boxed{} \ (cm^2)$$

13 가와 나 중에서 어느 직육면체의 겉넓이가 몇 cm² 더 큰지 구해 보세요.

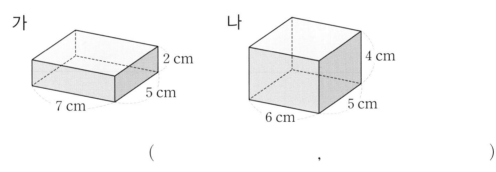

(,   )

14 다음 정육면체의 모든 모서리의 길이의 합은 72 cm입니다. 이 정육면체의 □ 안에 알맞은 수를 써넣고 겉넓이를 구해 보세요.

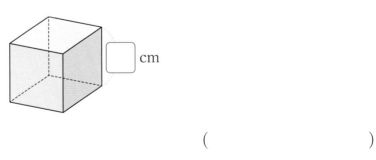

(   )

1 맞으면 ○표, 틀리면 ×표 하세요.

> 한 모서리의 길이가 1 m인 정육면체를 쌓는 데 부피가 1 cm³인 쌓기나무가
> 10000개 필요합니다.

(   )

2 부피가 가장 큰 직육면체의 기호를 써 보세요.

가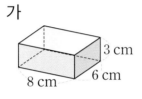

나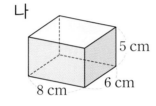

다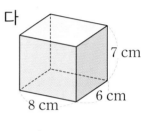

(   )

3 부피가 1 cm³인 쌓기나무로 만든 직육면체의 부피를 구해 보세요.

(1)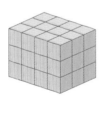

(2)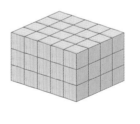

(   )   (   )

4 직육면체 모양의 떡과 카스텔라입니다. 부피는 몇 cm³일까요?

(1)

(2)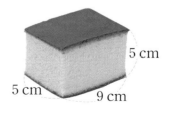

(   )   (   )

정답과 풀이 p.42

5 부피를 비교하여 ○ 안에 >, =, <를 알맞게 써넣으세요.

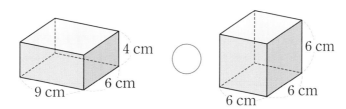

6 ☐ 안에 알맞은 수를 써넣으세요.

(1) $4 \text{ m}^3 =$ ☐ cm^3 (2) $1.6 \text{ m}^3 =$ ☐ cm^3

(3) $7000000 \text{ cm}^3 =$ ☐ m^3 (4) $3500000 \text{ cm}^3 =$ ☐ m^3

7 직육면체 모양 컨테이너의 부피를 주어진 단위로 각각 나타내어 보세요.

( ) m^3
( ) cm^3

8 직육면체 모양 상자의 겉넓이는 몇 cm^2일까요?

(1)

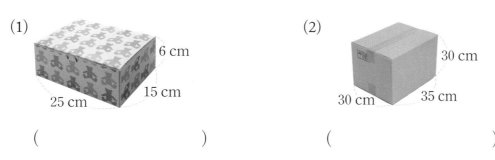

( )   ( )

[9~10] 전개도를 이용하여 만든 직육면체의 부피는 180 cm³입니다. 물음에 답하세요.

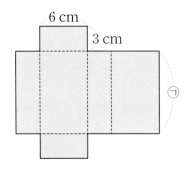

9 전개도에서 ㉠의 길이는 몇 cm일까요?

( )

10 전개도를 이용하여 만든 직육면체의 겉넓이는 몇 cm²일까요?

( )

11 용수철 장난감 상자는 정육면체 모양입니다. 상자의 겉넓이가 486 cm²일 때 ☐ 안에 알맞은 수를 써넣으세요.

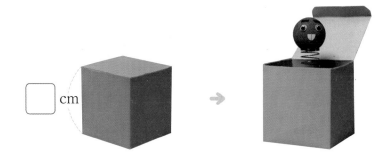

12 전개도를 이용하여 만든 정육면체의 부피와 겉넓이를 각각 구해 보세요.

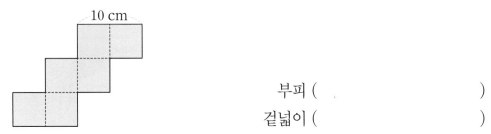

10 cm

부피 ( )
겉넓이 ( )

문제의 알맞은 곳에 붙임딱지를 붙여보세요.

10쪽

$\dfrac{1}{9}$

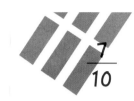
$\dfrac{7}{10}$

$\dfrac{3}{8}$

$\dfrac{3}{10}$

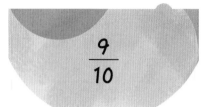
$\dfrac{9}{10}$

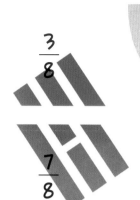
$\dfrac{7}{8}$

$\dfrac{8}{9}$

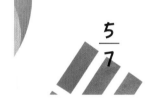
$\dfrac{2}{7}$

$\dfrac{4}{9}$

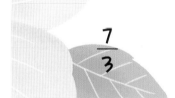
$\dfrac{6}{7}$

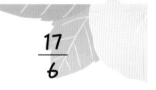
$\dfrac{5}{7}$

$\dfrac{5}{8}$

11쪽

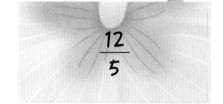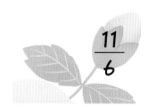
$\dfrac{12}{5}$

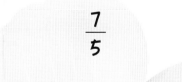
$\dfrac{17}{6}$

$\dfrac{4}{3}$

$\dfrac{7}{3}$

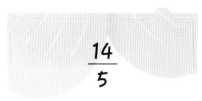
$\dfrac{7}{5}$

$\dfrac{9}{4}$

$\dfrac{11}{6}$

$\dfrac{14}{5}$

$\dfrac{13}{6}$

$\dfrac{13}{4}$

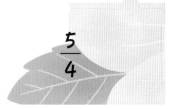
$\dfrac{5}{4}$

$\dfrac{11}{3}$

22~23쪽

$\dfrac{2}{19}$ 스	$\dfrac{7}{19}$ 보	$\dfrac{3}{19}$ 아	$\dfrac{6}{19}$ 니	$\dfrac{3}{13}$ 체
$\dfrac{6}{13}$ 고	$\dfrac{8}{13}$ 르	$\dfrac{5}{13}$ 헤	$\dfrac{7}{13}$ 나	$\dfrac{4}{13}$ 비
$\dfrac{2}{7}$ 도	$\dfrac{3}{7}$ 아	$\dfrac{4}{7}$ 인	$\dfrac{5}{7}$ 네	$\dfrac{6}{7}$ 시
$\dfrac{7}{11}$ 카	$\dfrac{5}{11}$ 타	$\dfrac{8}{11}$ 르	$\dfrac{9}{11}$ 미	$\dfrac{6}{11}$ 자

38~39쪽

50~51쪽

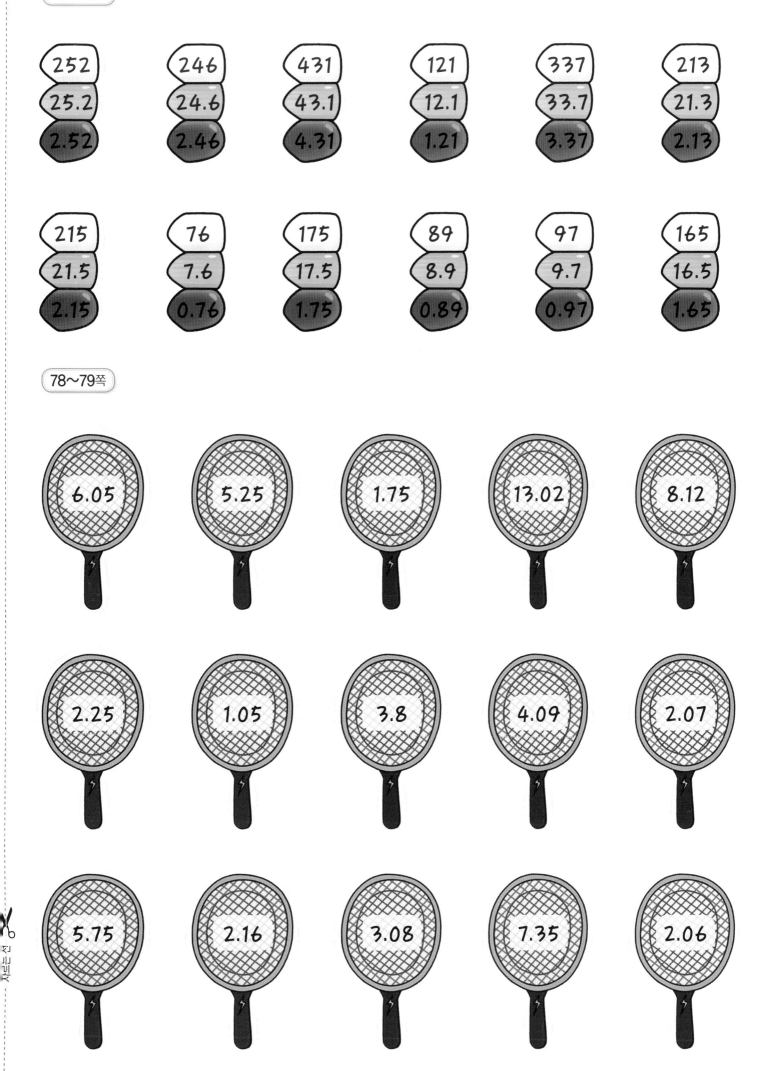

252
25.2
2.52

246
24.6
2.46

431
43.1
4.31

121
12.1
1.21

337
33.7
3.37

213
21.3
2.13

215
21.5
2.15

76
7.6
0.76

175
17.5
1.75

89
8.9
0.89

97
9.7
0.97

165
16.5
1.65

6.05

5.25

1.75

13.02

8.12

2.25

1.05

3.8

4.09

2.07

5.75

2.16

3.08

7.35

2.06

94~95쪽

106~107쪽

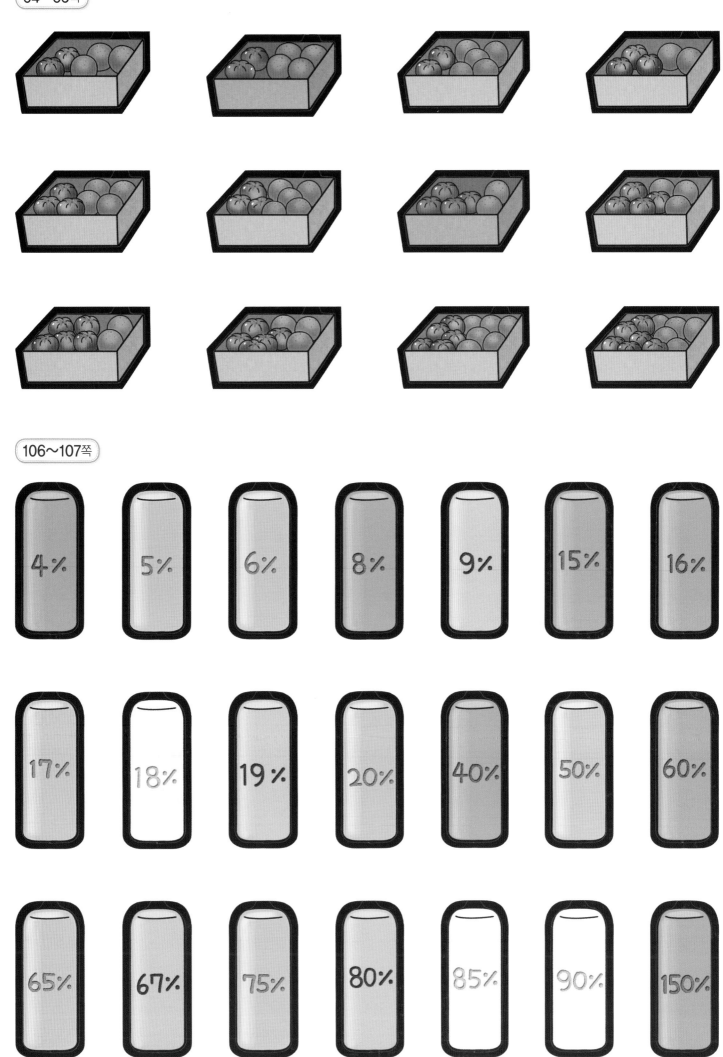

강아지
(25 %)

강아지
(30 %)

강아지
(35 %)

고양이
(15 %)

고양이
(20 %)

고양이
(25 %)

햄스터
(30 %)

햄스터
(35 %)

햄스터
(40 %)

토끼
(15 %)

토끼
(20 %)

토끼
(25 %)

장미
(15 %)

장미
(20 %)

장미
(25 %)

튤립
(30 %)

튤립
(35 %)

튤립
(40 %)

백합
(25 %)

백합
(45 %)

백합
(50 %)

목련
(15 %)

목련
(20 %)

목련
(30 %)

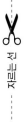
자르는 선

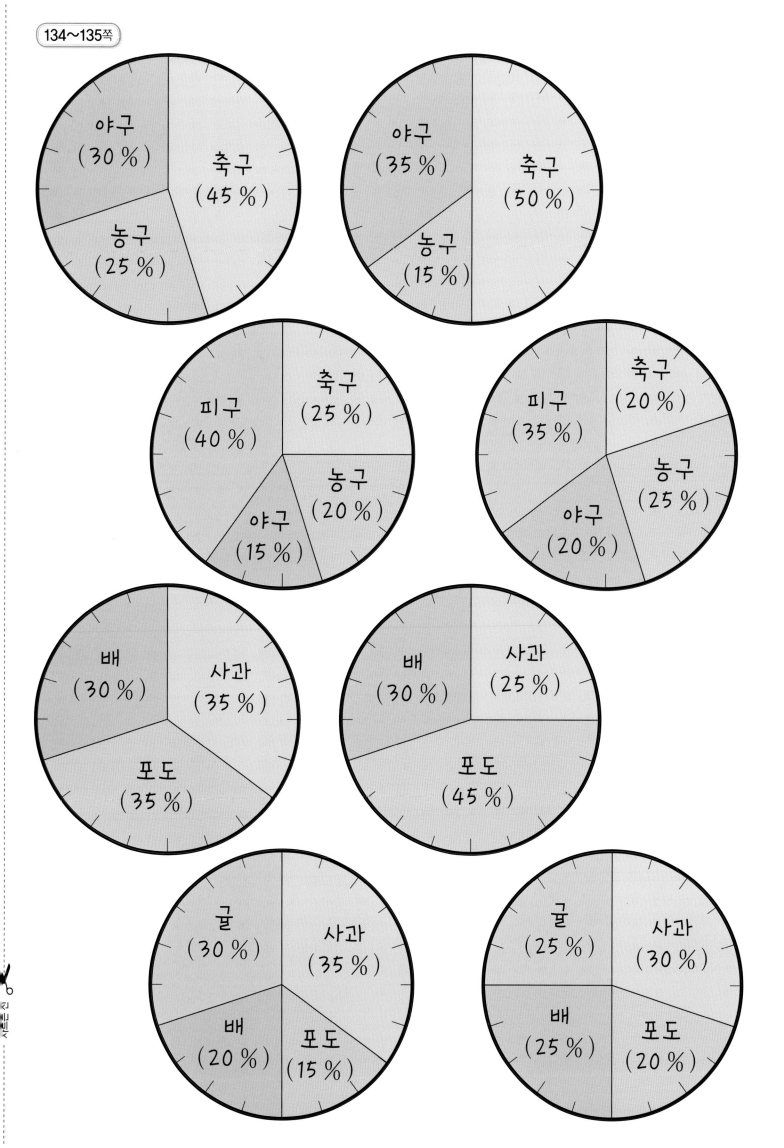

39000cm³

40000cm³

42000cm³

52800cm³

55500cm³

58000cm³

58200cm³

60500cm³

72000cm³

75600cm³

84000cm³

97200cm³

162~163쪽

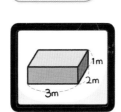

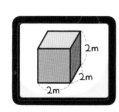

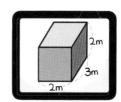

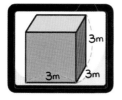

6cm³

8cm³

6m³

8m³

12m³

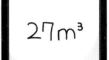
27m³

600000cm³

800000cm³

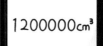
1200000cm³

2700000cm³

6000000cm³

8000000cm³

12000000cm³

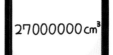
27000000cm³

426cm²

540cm²

592cm²

600cm²

664cm²

798cm²

840cm²

960cm²

Start

교과서 개념

Run

교과서 사고력

Jump

유형 사고력

#난이도별
#천재되는_수학교재

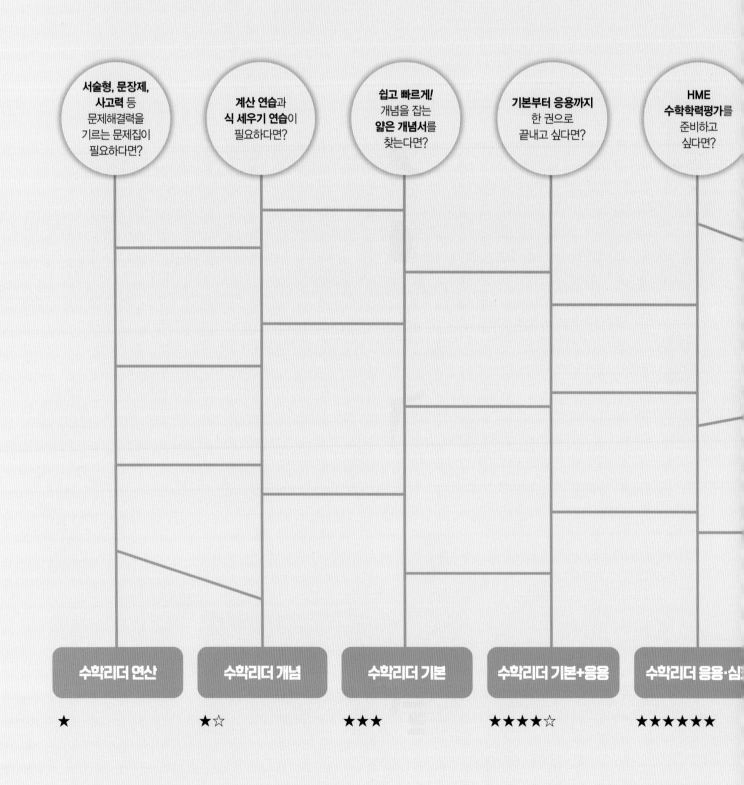

서술형, 문장제,
사고력 등
문제해결력을
기르는 문제집이
필요하다면?

계산 연습과
식 세우기 연습이
필요하다면?

쉽고 빠르게!
개념을 잡는
얇은 개념서를
찾는다면?

기본부터 응용까지
한 권으로
끝내고 싶다면?

HME
수학학력평가를
준비하고
싶다면?

수학리더 연산

수학리더 개념

수학리더 기본

수학리더 기본+응용

수학리더 응용·심화

★

★☆

★★★

★★★★☆

★★★★★★

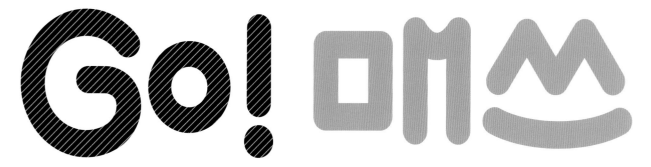

교과서 GO! 사고력 GO!

GO! 매쓰

GO!

Start
교과서 개념

정답과 풀이 　　수학 6-1

정답과 해설
포인트 2가지

▶ 선생님이나 학부모가 쉽게 문제와 풀이를 한눈에 볼 수 있어요.

▶ 자세한 활동 수업에 대한 팁이 가득하게 들어 있어요.

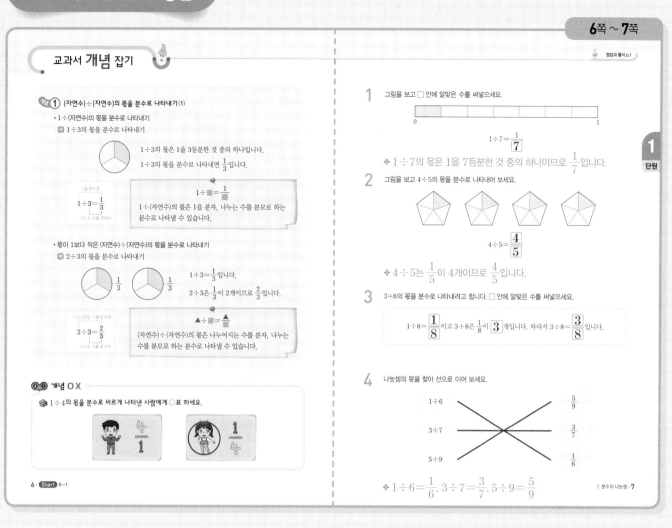

교과서 **개념 잡기**

정답과 풀이 p.1

개념① (자연수)÷(자연수)의 몫을 분수로 나타내기(1)

• 1÷(자연수)의 몫을 분수로 나타내기
  예 1÷3의 몫을 분수로 나타내기

1÷3의 몫은 1을 3등분한 것 중의 하나입니다.
1÷3의 몫을 분수로 나타내면 $\frac{1}{3}$입니다.

$$1÷3=\frac{1}{3}$$

$$1÷■=\frac{1}{■}$$

1÷(자연수)의 몫은 1을 분자, 나누는 수를 분모로 하는 분수로 나타낼 수 있습니다.

• 몫이 1보다 작은 (자연수)÷(자연수)의 몫을 분수로 나타내기
  예 2÷3의 몫을 분수로 나타내기

$\frac{1}{3}$ $\frac{1}{3}$

1÷3=$\frac{1}{3}$입니다.
2÷3은 $\frac{1}{3}$이 2개이므로 $\frac{2}{3}$입니다.

$$2÷3=\frac{2}{3}$$

$$▲÷■=\frac{▲}{■}$$

(자연수)÷(자연수)의 몫은 나누어지는 수를 분자, 나누는 수를 분모로 하는 분수로 나타낼 수 있습니다.

개념 OX

1÷4의 몫을 분수로 바르게 나타낸 사람에게 ○표 하세요.

$\frac{4}{1}$ $\frac{1}{4}$○

6 · **Start** 6-1

1 그림을 보고 □ 안에 알맞은 수를 써넣으세요.

$$1÷7=\frac{1}{7}$$

❖ 1÷7의 몫은 1을 7등분한 것 중의 하나이므로 $\frac{1}{7}$입니다.

2 그림을 보고 4÷5의 몫을 분수로 나타내어 보세요.

$$4÷5=\frac{4}{5}$$

❖ 4÷5는 $\frac{1}{5}$이 4개이므로 $\frac{4}{5}$입니다.

3 3÷8의 몫을 분수로 나타내려고 합니다. □ 안에 알맞은 수를 써넣으세요.

1÷8=$\frac{1}{8}$이고 3÷8은 $\frac{1}{8}$이 3개입니다. 따라서 3÷8=$\frac{3}{8}$입니다.

4 나눗셈의 몫을 찾아 선으로 이어 보세요.

1÷6 ——— $\frac{5}{9}$

3÷7 ——— $\frac{3}{7}$

5÷9 ——— $\frac{1}{6}$

❖ 1÷6=$\frac{1}{6}$, 3÷7=$\frac{3}{7}$, 5÷9=$\frac{5}{9}$

1. 분수의 나눗셈 · 7

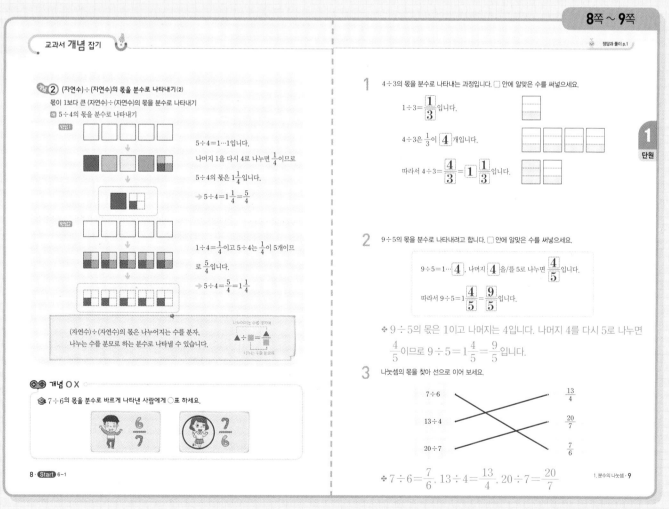

교과서 **개념 잡기**

정답과 풀이 p.1

개념② (자연수)÷(자연수)의 몫을 분수로 나타내기(2)

몫이 1보다 큰 (자연수)÷(자연수)의 몫을 분수로 나타내기
예 5÷4의 몫을 분수로 나타내기

방법1

5÷4=1…1입니다.
나머지 1을 다시 4로 나누면 $\frac{1}{4}$이므로
5÷4의 몫은 $1\frac{1}{4}$입니다.
➡ 5÷4=$1\frac{1}{4}$=$\frac{5}{4}$

방법2

1÷4=$\frac{1}{4}$이고 5÷4는 $\frac{1}{4}$이 5개이므로 $\frac{5}{4}$입니다.
➡ 5÷4=$\frac{5}{4}$=$1\frac{1}{4}$

(자연수)÷(자연수)의 몫은 나누어지는 수를 분자, 나누는 수를 분모로 하는 분수로 나타낼 수 있습니다.

$$▲÷■=\frac{▲}{■}$$

개념 OX

7÷6의 몫을 분수로 바르게 나타낸 사람에게 ○표 하세요.

$\frac{6}{7}$ $\frac{7}{6}$○

8 · **Start** 6-1

1 4÷3의 몫을 분수로 나타내는 과정입니다. □ 안에 알맞은 수를 써넣으세요.

1÷3=$\frac{1}{3}$입니다.

4÷3은 $\frac{1}{3}$이 4개입니다.

따라서 4÷3=$\frac{4}{3}$=$1\frac{1}{3}$입니다.

2 9÷5의 몫을 분수로 나타내려고 합니다. □ 안에 알맞은 수를 써넣으세요.

9÷5=1…4, 나머지 4을/를 5로 나누면 $\frac{4}{5}$입니다.

따라서 9÷5=$1\frac{4}{5}$=$\frac{9}{5}$입니다.

❖ 9÷5의 몫은 1이고 나머지는 4입니다. 나머지 4를 다시 5로 나누면
$\frac{4}{5}$이므로 9÷5=$1\frac{4}{5}$=$\frac{9}{5}$입니다.

3 나눗셈의 몫을 찾아 선으로 이어 보세요.

7÷6 ——— $\frac{13}{4}$

13÷4 ——— $\frac{20}{7}$

20÷7 ——— $\frac{7}{6}$

❖ 7÷6=$\frac{7}{6}$, 13÷4=$\frac{13}{4}$, 20÷7=$\frac{20}{7}$

1. 분수의 나눗셈 · 9

정답과 풀이 · **1**

교과서 개념 play · 퍼즐 완성하기

나눗셈의 몫을 분수로 나타낸 붙임딱지를 붙여 퍼즐을 완성해 보세요.

집중! 드릴 문제

정답과 풀이 p.2

[1~8] 나눗셈의 몫을 분수로 나타내어 보세요.

1. $1 \div 2 = \dfrac{1}{2}$

$\div \blacksquare = \dfrac{1}{\blacksquare}$

2. $1 \div 5 = \dfrac{1}{5}$

3. $1 \div 8 = \dfrac{1}{8}$

4. $1 \div 13 = \dfrac{1}{13}$

5. $1 \div 16 = \dfrac{1}{16}$

6. $1 \div 20 = \dfrac{1}{20}$

7. $1 \div 25 = \dfrac{1}{25}$

8. $1 \div 31 = \dfrac{1}{31}$

[9~16] 나눗셈의 몫을 분수로 나타내어 보세요.

9. $3 \div 5 = \dfrac{3}{5}$

$\blacktriangle \div \blacksquare = \dfrac{\blacktriangle}{\blacksquare}$

10. $4 \div 7 = \dfrac{4}{7}$

11. $5 \div 11 = \dfrac{5}{11}$

12. $9 \div 14 = \dfrac{9}{14}$

13. $6 \div 17 = \dfrac{6}{17}$

14. $8 \div 19 = \dfrac{8}{19}$

15. $13 \div 20 = \dfrac{13}{20}$

16. $17 \div 35 = \dfrac{17}{35}$

[17~24] 나눗셈의 몫을 분수로 나타내어 보세요.

17. $5 \div 4 = \dfrac{5}{4}\left(=1\dfrac{1}{4}\right)$

$\blacktriangle \div \blacksquare = \dfrac{\blacktriangle}{\blacksquare}$

18. $7 \div 3 = \dfrac{7}{3}\left(=2\dfrac{1}{3}\right)$

19. $8 \div 5 = \dfrac{8}{5}\left(=1\dfrac{3}{5}\right)$

20. $9 \div 7 = \dfrac{9}{7}\left(=1\dfrac{2}{7}\right)$

21. $13 \div 6 = \dfrac{13}{6}\left(=2\dfrac{1}{6}\right)$

22. $19 \div 11 = \dfrac{19}{11}\left(=1\dfrac{8}{11}\right)$

23. $17 \div 8 = \dfrac{17}{8}\left(=2\dfrac{1}{8}\right)$

24. $25 \div 12 = \dfrac{25}{12}\left(=2\dfrac{1}{12}\right)$

[25~30] 나눗셈의 몫을 구하여 ○ 안에 >, =, <를 알맞게 써넣으세요.

25. $1 \div 7 \bigotimes \dfrac{1}{6}$

$\div 1 \div 7 = \dfrac{1}{7} \rightarrow \dfrac{1}{7} < \dfrac{1}{6}$

26. $1 \div 9 \bigotimes \dfrac{1}{10}$

$\div 1 \div 9 = \dfrac{1}{9} \rightarrow \dfrac{1}{9} > \dfrac{1}{10}$

27. $5 \div 7 \bigotimes \dfrac{4}{7}$

$\div 5 \div 7 = \dfrac{5}{7} \rightarrow \dfrac{5}{7} > \dfrac{4}{7}$

28. $7 \div 9 \bigotimes \dfrac{8}{9}$

$\div 7 \div 9 = \dfrac{7}{9} \rightarrow \dfrac{7}{9} < \dfrac{8}{9}$

29. $12 \div 5 \bigotimes 2\dfrac{3}{5}$

$\div 12 \div 5 = \dfrac{12}{5} = 2\dfrac{2}{5} \rightarrow 2\dfrac{2}{5} < 2\dfrac{3}{5}$

30. $23 \div 6 \bigotimes 3\dfrac{1}{6}$

$\div 23 \div 6 = \dfrac{23}{6} = 3\dfrac{5}{6} \rightarrow 3\dfrac{5}{6} > 3\dfrac{1}{6}$

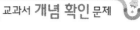
교과서 **개념 확인 문제**

1 그림을 보고 □ 안에 알맞은 수를 써넣으세요.

(1)

$$1 \div 6 = \frac{1}{6}$$

(2)
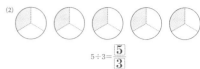

$$5 \div 3 = \frac{5}{3}$$

❖ (1) $1 \div 6$의 몫은 1을 6등분한 것 중의 하나이므로 $\frac{1}{6}$ 입니다.

(2) $5 \div 3$은 $\frac{1}{3}$ 이 5개이므로 $\frac{5}{3} = 1\frac{2}{3}$ 입니다.

2 나눗셈의 몫을 분수로 나타내어 보세요.

(1) $1 \div 9 = \dfrac{1}{9}$ (2) $8 \div 13 = \dfrac{8}{13}$

(3) $9 \div 4$ (4) $10 \div 3$

$$= \frac{9}{4}\left(= 2\frac{1}{4} \right) \qquad = \frac{10}{3}\left(= 3\frac{1}{3} \right)$$

3 $11 \div 5$의 몫을 분수로 나타내려고 합니다. □ 안에 알맞은 수를 써넣으세요.

$11 \div 5 = 2 \cdots \boxed{1}$, 나머지 $\boxed{1}$ 을/를 5로 나누면 $\dfrac{\boxed{1}}{5}$ 입니다.

따라서 $11 \div 5 = \boxed{2}\dfrac{\boxed{1}}{5} = \dfrac{\boxed{11}}{5}$ 입니다.

❖ $11 \div 5$의 몫은 2이고 나머지는 1입니다. 나머지 1을 다시

5로 나누면 $\dfrac{1}{5}$ 이므로 $11 \div 5 = 2\dfrac{1}{5} = \dfrac{11}{5}$ 입니다.

4 관계있는 것끼리 선으로 이어 보세요.

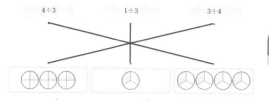

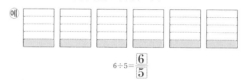

❖ $4 \div 3$은 $\dfrac{1}{3}$ 이 4개이고, $1 \div 3$은 $\dfrac{1}{3}$ 이고, $3 \div 4$는 $\dfrac{1}{4}$ 이 3개입니다.

5 $6 \div 5$의 몫을 그림으로 나타내고, 분수로 나타내어 보세요.

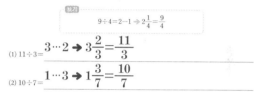

$$6 \div 5 = \frac{6}{5}$$

❖ $\dfrac{1}{5}$ 이 6개이므로 $6 \div 5$는 $\dfrac{6}{5}$ 입니다.

6 보기 와 같은 방법으로 나눗셈의 몫을 분수로 나타내어 보세요.

보기
$$9 \div 4 = 2 \cdots 1 \Rightarrow 2\frac{1}{4} = \frac{9}{4}$$

(1) $11 \div 3 = \dfrac{3 \cdots 2}{} \Rightarrow 3\dfrac{2}{3} = \dfrac{11}{3}$

(2) $10 \div 7 = \dfrac{1 \cdots 3}{} \Rightarrow 1\dfrac{3}{7} = \dfrac{10}{7}$

교과서 **개념 확인 문제**

7 나눗셈의 몫을 분수로 바르게 나타낸 것을 모두 찾아 기호를 써 보세요.

㉠ $2 \div 3 = \dfrac{3}{2}$ ㉡ $5 \div 4 = \dfrac{5}{4}$

㉢ $11 \div 9 = \dfrac{11}{9}$ ㉣ $8 \div 7 = \dfrac{7}{8}$

(㉡, ㉢)

❖ ㉠ $2 \div 3 = \dfrac{2}{3}$ ㉣ $8 \div 7 = \dfrac{8}{7}$

8 나눗셈의 몫을 분수로 잘못 나타낸 것입니다. 바르게 나타내어 보세요.

(1) $10 \div 9 = \dfrac{9}{10} \rightarrow 10 \div 9 = \dfrac{10}{9}\left(= 1\dfrac{1}{9} \right)$

(2) $5 \div 3 = \dfrac{3}{5} \rightarrow 5 \div 3 = \dfrac{5}{3}\left(= 1\dfrac{2}{3} \right)$

❖ ▲ ÷ ■ $= \dfrac{▲}{■}$

9 큰 수를 작은 수로 나눈 몫을 분수로 나타내어 보세요.

(1) 5   8 $\rightarrow$ ($\dfrac{8}{5}\left(= 1\dfrac{3}{5} \right)$)

(2) 11   7 $\rightarrow$ ($\dfrac{11}{7}\left(= 1\dfrac{4}{7} \right)$)

❖ (1) $8 > 5 \Rightarrow 8 \div 5 = \dfrac{8}{5} = 1\dfrac{3}{5}$

(2) $11 > 7 \Rightarrow 11 \div 7 = \dfrac{11}{7} = 1\dfrac{4}{7}$

10 □ 안에 알맞은 수를 써넣으세요.

(1) $5 \div \boxed{8} = \dfrac{5}{8}$ (2) $9 \div \boxed{11} = \dfrac{9}{11}$

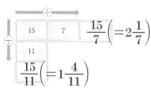

❖ ▲ ÷ ● $= \dfrac{▲}{●}$

11 빈칸에 나눗셈의 몫을 분수로 써넣으세요.

÷		
15	7	$\dfrac{15}{7}\left(= 2\dfrac{1}{7} \right)$
	11	
$\dfrac{15}{11}\left(= 1\dfrac{4}{11} \right)$		

❖ $15 \div 7 = \dfrac{15}{7} = 2\dfrac{1}{7}$, $15 \div 11 = \dfrac{15}{11} = 1\dfrac{4}{11}$

12 $12 \div 5$의 몫을 분수로 나타내면 $\dfrac{1}{5}$ 이 몇 개인 수가 되는지 구해 보세요.

(**12개**)

❖ $12 \div 5 = \dfrac{12}{5}$ 입니다. $\dfrac{12}{5}$ 는 $\dfrac{1}{5}$ 이 12개인 수입니다.

13 한 병에 $1\dfrac{3}{5}$ L씩 들어 있는 우유가 5병 있습니다. 이 우유를 3일 동안 똑같이 나누어 마신다면 하루에 몇 L씩 마실 수 있는지 분수로 나타내어 보세요.

$\left(\dfrac{8}{3}L\left(= 2\dfrac{2}{3}L \right) \right)$

❖ (전체 우유의 양) $= 1\dfrac{3}{5} \times 5 = \dfrac{8}{5} \times \overset{1}{\cancel{5}} = 8$ (L)

(하루에 마실 수 있는 우유의 양) $= 8 \div 3 = \dfrac{8}{3} = 2\dfrac{2}{3}$ (L)

교과서 **개념** 잡기

정답과 풀이 p.4

개념 3 (분수)÷(자연수) 알아보기

• 분자가 자연수의 배수인 (분수)÷(자연수)의 계산

예 $\frac{4}{5} \div 2$의 계산

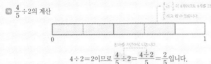

$4 \div 2 = 2$이므로 $\frac{4}{5} \div 2 = \frac{4 \div 2}{5} = \frac{2}{5}$입니다.

• 분자가 자연수의 배수가 아닌 (분수)÷(자연수)의 계산

예 $\frac{2}{3} \div 3$의 계산

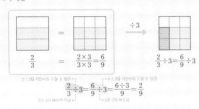

$\frac{2}{3} = \frac{2 \times 3}{3 \times 3} = \frac{6}{9}$

$\frac{2}{3} \div 3 = \frac{6}{9} \div 3 = \frac{6 \div 3}{9} = \frac{2}{9}$

• (분수)÷(자연수)를 계산하는 방법
① 분자가 자연수의 배수일 때에는 분자를 자연수로 나눕니다.
② 분자가 자연수의 배수가 아닐 때에는 크기가 같은 분수 중에 분자가 자연수의 배수인 수로 바꾸어 계산합니다.

개념 O X

맞으면 ○표, 틀리면 ×표 하세요.

(분수)÷(자연수)에서 분자가 자연수의 ✗배수이면 분모를 자연수로 나눕니다.

1 수직선을 보고 □ 안에 알맞은 수를 써넣으세요.

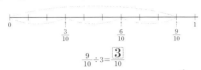

$\frac{9}{10} \div 3 = \boxed{\frac{3}{10}}$

❖ $\frac{9}{10}$를 똑같이 셋으로 나누면 10칸 중 3칸이므로 $\frac{3}{10}$입니다.

2 그림을 보고 □ 안에 알맞은 수를 써넣으세요.

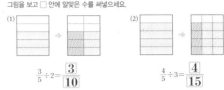

(1) $\frac{3}{5} \div 2 = \boxed{\frac{3}{10}}$ (2) $\frac{4}{5} \div 3 = \boxed{\frac{4}{15}}$

❖ (2) 전체 15칸 중에서 4칸이므로 $\frac{4}{15}$입니다.

3 □ 안에 알맞은 수를 써넣으세요.

(1) $\frac{8}{9} \div 2 = \frac{\boxed{8} : 2}{9} = \frac{\boxed{4}}{9}$

(2) $\frac{2}{3} \div 5 = \frac{\boxed{10}}{15} \div 5 = \frac{\boxed{10} \div 5}{15} = \frac{\boxed{2}}{15}$

❖ (1) 분자가 자연수의 배수일 때에는 분자를 자연수로 나눕니다.

4 계산해 보세요.

(1) $\frac{9}{11} \div 3 = \boxed{\frac{3}{11}}$ (2) $\frac{10}{17} \div 5 = \boxed{\frac{2}{17}}$

(3) $\frac{4}{9} \div 7 = \boxed{\frac{4}{63}}$ (4) $\frac{7}{10} \div 8 = \boxed{\frac{7}{80}}$

❖ (4) $\frac{7}{10} \div 8 = \frac{56}{80} \div 8 = \frac{56 \div 8}{80} = \frac{7}{80}$

교과서 **개념** 잡기

정답과 풀이 p.4

개념 4 (분수)÷(자연수)를 분수의 곱셈으로 나타내기

예 $\frac{3}{5} \div 2$의 계산

$\frac{3}{5} \div 2$의 몫은 $\frac{3}{5}$을 2등분한 것 중의 하나입니다.

이것은 $\frac{3}{5}$의 $\frac{1}{2}$이므로 $\frac{3}{5} \times \frac{1}{2}$입니다.

➡ $\frac{3}{5} \div 2 = \frac{3}{5} \times \frac{1}{2} = \frac{3}{10}$

• (분수)÷(자연수)를 분수의 곱셈으로 나타내어 계산하는 방법
÷(자연수)를 $\times \frac{1}{(자연수)}$로 바꾼 다음 곱하여 계산합니다.

개념 5 (대분수)÷(자연수) 알아보기

예 $1\frac{2}{5} \div 2$의 계산

방법1 대분수를 가분수로 바꾸고 분수의 분자를 자연수로 나누어 계산하기

$1\frac{2}{5} \div 2 = \frac{7}{5} \div 2 = \frac{14}{10} \div 2$

$= \frac{14 \div 2}{10} = \frac{7}{10}$

방법2 대분수를 가분수로 바꾸고 나눗셈을 곱셈으로 나타내어 계산하기

$1\frac{2}{5} \div 2 = \frac{7}{5} \div 2 = \frac{7}{5} \times \frac{1}{2}$

$= \frac{7}{10}$

• (대분수)÷(자연수)를 계산하는 방법
① 대분수를 가분수로 바꾸고 분수의 분자를 자연수로 나누어 계산합니다.
② 대분수를 가분수로 바꾸고 나눗셈을 곱셈으로 나타내어 계산합니다.

개념 O X

맞으면 ○표, 틀리면 ×표 하세요.

(분수)÷(자연수)에서 ÷(자연수)를 ✗ $\times$(자연수)로 바꿉니다.

1 $\frac{3}{4} \div 2$의 몫을 구하려고 합니다. 그림을 보고 □ 안에 알맞은 수를 써넣으세요.

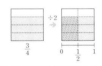

$\frac{3}{4} \div 2$의 몫은 $\frac{3}{4}$을 2등분한 것 중의 하나입니다.

이것은 $\frac{3}{4}$의 $\frac{1}{\boxed{2}}$이므로 $\frac{3}{4} \times \frac{1}{\boxed{2}}$입니다.

따라서 $\frac{3}{4} \div 2 = \frac{3}{4} \times \frac{1}{\boxed{2}} = \frac{\boxed{3}}{8}$입니다.

❖ $\frac{3}{4} \div 2$ ➡ $\frac{3}{4}$의 $\frac{1}{2}$ ➡ $\frac{3}{4} \times \frac{1}{2}$

2 관계있는 것끼리 선으로 이어 보세요.

$\frac{7}{9} \div 4$ $\frac{11}{8} \times \frac{1}{3}$ $\frac{5}{12}$

$\frac{11}{8} \div 3$ $\frac{7}{9} \times \frac{1}{4}$ $\frac{11}{24}$

$\frac{5}{6} \div 2$ $\frac{5}{6} \times \frac{1}{2}$ $\frac{7}{36}$

3 $5\frac{1}{7} \div 9$를 두 가지 방법으로 계산하려고 합니다. □ 안에 알맞은 수를 써넣으세요.

방법1 $5\frac{1}{7} \div 9 = \frac{\boxed{36}}{7} \div 9 = \frac{\boxed{36} \div 9}{7} = \frac{\boxed{4}}{7}$

방법2 $5\frac{1}{7} \div 9 = \frac{\boxed{36}}{7} \div 9 = \frac{\boxed{36}}{7} \times \frac{1}{9} = \frac{\boxed{4}}{7}$

❖ 방법1 분자를 자연수로 나누는 방법입니다.
방법2 분수의 곱셈으로 나타내어 계산하는 방법입니다.

교과서 개념 play · 이름 완성하기

나눗셈의 몫이 써 있는 붙임딱지를 붙여 이름을 완성해 보세요.

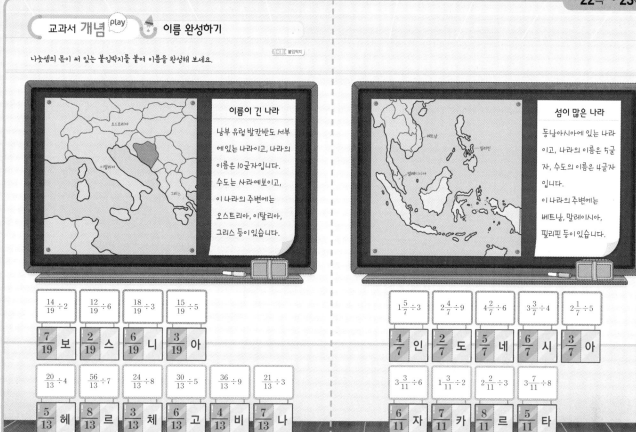

이름이 긴 나라

남부 유럽 발칸반도 서부에 있는 나라이고, 나라의 이름은 10글자입니다. 수도는 사라예보이고, 이 나라의 주변에는 오스트리아, 이탈리아, 그리스 등이 있습니다.

섬이 많은 나라

동남아시아에 있는 나라이고, 나라의 이름은 5글자, 수도의 이름은 4글자입니다. 이 나라의 주변에는 베트남, 말레이시아, 필리핀 등이 있습니다.

1단원

$\frac{14}{19} \div 2$	$\frac{12}{19} \div 6$	$\frac{18}{19} \div 3$	$\frac{15}{19} \div 5$
$\frac{7}{19}$ 보	$\frac{2}{19}$ 스	$\frac{6}{19}$ 니	$\frac{3}{19}$ 아

$\frac{20}{13} \div 4$	$\frac{56}{13} \div 7$	$\frac{24}{13} \div 8$	$\frac{30}{13} \div 5$	$\frac{36}{13} \div 9$	$\frac{21}{13} \div 3$
$\frac{5}{13}$ 헤	$\frac{8}{13}$ 르	$\frac{3}{13}$ 체	$\frac{6}{13}$ 고	$\frac{4}{13}$ 비	$\frac{7}{13}$ 나

$1\frac{5}{7} \div 3$	$2\frac{4}{7} \div 9$	$4\frac{2}{7} \div 6$	$3\frac{3}{7} \div 4$	$2\frac{1}{7} \div 5$
$\frac{4}{7}$ 인	$\frac{2}{7}$ 도	$\frac{5}{7}$ 네	$\frac{6}{7}$ 시	$\frac{3}{7}$ 아

$3\frac{3}{11} \div 6$	$1\frac{3}{11} \div 2$	$2\frac{2}{11} \div 3$	$3\frac{7}{11} \div 8$
$\frac{6}{11}$ 자	$\frac{7}{11}$ 카	$\frac{8}{11}$ 르	$\frac{5}{11}$ 타

집중! 드릴 문제

정답과 풀이 p.5

[1~6] 계산해 보세요.

1 $\frac{4}{9} \div 2 = \frac{2}{9}$

$\frac{4}{9} \div 2 = \frac{4 \div 2}{9} = \frac{2}{9}$

2 $\frac{6}{11} \div 3 = \frac{2}{11}$

$\frac{6}{11} \div 3 = \frac{6 \div 3}{11} = \frac{2}{11}$

3 $\frac{12}{13} \div 4 = \frac{3}{13}$

$\frac{12}{13} \div 4 = \frac{12 \div 4}{13} = \frac{3}{13}$

4 $\frac{18}{23} \div 6 = \frac{3}{23}$

$\frac{18}{23} \div 6 = \frac{18 \div 6}{23} = \frac{3}{23}$

5 $\frac{28}{29} \div 7 = \frac{4}{29}$

$\frac{28}{29} \div 7 = \frac{28 \div 7}{29} = \frac{4}{29}$

6 $\frac{36}{37} \div 9 = \frac{4}{37}$

$\frac{36}{37} \div 9 = \frac{36 \div 9}{37} = \frac{4}{37}$

[7~12] 계산해 보세요.

7 $\frac{3}{4} \div 2 = \frac{3}{8}$

$\frac{3}{4} \div 2 = \frac{3}{4} \times \frac{1}{2} = \frac{3}{8}$

8 $\frac{5}{6} \div 4 = \frac{5}{24}$

$\frac{5}{6} \div 4 = \frac{5}{6} \times \frac{1}{4} = \frac{5}{24}$

9 $\frac{3}{10} \div 5 = \frac{3}{50}$

$\frac{3}{10} \div 5 = \frac{3}{10} \times \frac{1}{5} = \frac{3}{50}$

10 $\frac{7}{13} \div 6 = \frac{7}{78}$

$\frac{7}{13} \div 6 = \frac{7}{13} \times \frac{1}{6} = \frac{7}{78}$

11 $\frac{11}{16} \div 3 = \frac{11}{48}$

$\frac{11}{16} \div 3 = \frac{11}{16} \times \frac{1}{3} = \frac{11}{48}$

12 $\frac{12}{23} \div 7 = \frac{12}{161}$

$\frac{12}{23} \div 7 = \frac{12}{23} \times \frac{1}{7} = \frac{12}{161}$

[13~18] 계산해 보세요.

13 $3\frac{3}{4} \div 5 = \frac{3}{4}$

$3\frac{3}{4} \div 5 = \frac{15}{4} \div 5 = \frac{15 \div 5}{4} = \frac{3}{4}$

14 $2\frac{2}{9} \div 5 = \frac{4}{9}$

$2\frac{2}{9} \div 5 = \frac{20}{9} \div 5 = \frac{20 \div 5}{9} = \frac{4}{9}$

15 $5\frac{5}{6} \div 7 = \frac{5}{6}$

$5\frac{5}{6} \div 7 = \frac{35}{6} \div 7 = \frac{35 \div 7}{6} = \frac{5}{6}$

16 $1\frac{5}{7} \div 3 = \frac{4}{7}$

$1\frac{5}{7} \div 3 = \frac{12}{7} \div 3 = \frac{12 \div 3}{7} = \frac{4}{7}$

17 $4\frac{4}{9} \div 8 = \frac{5}{9}$

$4\frac{4}{9} \div 8 = \frac{40}{9} \div 8 = \frac{40 \div 8}{9} = \frac{5}{9}$

18 $7\frac{1}{5} \div 9 = \frac{4}{5}$

$7\frac{1}{5} \div 9 = \frac{36}{5} \div 9 = \frac{36 \div 9}{5} = \frac{4}{5}$

[19~24] 계산해 보세요.

19 $2\frac{3}{7} \div 3 = \frac{17}{21}$

$2\frac{3}{7} \div 3 = \frac{17}{7} \times \frac{1}{3} = \frac{17}{21}$

1단원

20 $1\frac{2}{5} \div 3 = \frac{7}{15}$

$1\frac{2}{5} \div 3 = \frac{7}{5} \times \frac{1}{3} = \frac{7}{15}$

21 $7\frac{2}{3} \div 8 = \frac{23}{24}$

$7\frac{2}{3} \div 8 = \frac{23}{3} \times \frac{1}{8} = \frac{23}{24}$

22 $3\frac{7}{8} \div 5 = \frac{31}{40}$

$3\frac{7}{8} \div 5 = \frac{31}{8} \times \frac{1}{5} = \frac{31}{40}$

23 $2\frac{5}{9} \div 4 = \frac{23}{36}$

$2\frac{5}{9} \div 4 = \frac{23}{9} \times \frac{1}{4} = \frac{23}{36}$

24 $6\frac{5}{9} \div 9 = \frac{59}{81}$

$6\frac{5}{9} \div 9 = \frac{59}{9} \times \frac{1}{9} = \frac{59}{81}$

교과서 개념 확인 문제

정답과 풀이 p.6

1 $\frac{6}{7} \div 2$를 계산하는 방법을 알아보려고 합니다. 물음에 답하세요.

(1) $\frac{6}{7} \div 2$의 몫을 그림으로 나타내어 보세요.

예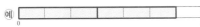

(2) □ 안에 알맞은 수를 써넣으세요.

$$\frac{6}{7} \div 2 = \frac{6 \div \boxed{2}}{7} = \frac{\boxed{3}}{7}$$

✿ $\frac{1}{7}$이 6개 있다고 생각하면 6을 2로 나누면 $\frac{3}{7}$이라고 할 수 있습니다.

2 □ 안에 알맞은 수를 써넣으세요.

(1) $\frac{9}{8} \div 3 = \frac{9 \div \boxed{3}}{8} = \frac{\boxed{3}}{8}$

(2) $\frac{10}{7} \div 5 = \frac{10 \div \boxed{5}}{7} = \frac{\boxed{2}}{7}$

✿ 분자가 자연수의 배수일 때에는 분자를 자연수로 나눕니다.

3 나눗셈의 몫을 찾아 선으로 이어 보세요.

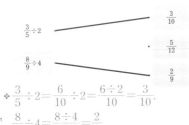

✿ $\frac{3}{5} \div 2 = \frac{6}{10} \div 2 = \frac{6 \div 2}{10} = \frac{3}{10}$,

$\frac{8}{9} \div 4 = \frac{8 \div 4}{9} = \frac{2}{9}$

4 계산해 보세요.

(1) $\frac{5}{4} \div 4 = \frac{5}{16}$

(2) $\frac{11}{8} \div 6 = \frac{11}{48}$

(3) $\frac{10}{7} \div 15 = \frac{10}{105}\left(= \frac{2}{21}\right)$

(4) $\frac{14}{9} \div 12 = \frac{14}{108}\left(= \frac{7}{54}\right)$

✿ (3) $\frac{10}{7} \div 15 = \frac{10}{7} \times \frac{1}{15} = \frac{10}{105} = \frac{2}{21}$

(4) $\frac{14}{9} \div 12 = \frac{14}{9} \times \frac{1}{12} = \frac{14}{108} = \frac{7}{54}$

5 크기를 비교하여 ○ 안에 >, =, <를 알맞게 써넣으세요.

(1) $\frac{4}{9} \div 12 \ \textcircled{<} \ \frac{2}{27}$

(2) $\frac{17}{15} \div 2 \ \textcircled{>} \ \frac{7}{30}$

✿ (1) $\frac{4}{9} \div 12 = \frac{\overset{1}{\cancel{4}}}{9} \times \frac{1}{\underset{3}{\cancel{12}}} = \frac{1}{27} \ \rightarrow \ \frac{1}{27} \textcircled{<} \frac{2}{27}$

(2) $\frac{17}{15} \div 2 = \frac{17}{15} \times \frac{1}{2} = \frac{17}{30} \ \rightarrow \ \frac{17}{30} \textcircled{>} \frac{7}{30}$

6 끈 $\frac{9}{14}$ m를 겹치지 않게 모두 사용하여 다음과 같은 정삼각형을 만들었습니다. 이 정삼각형의 한 변의 길이는 몇 m인지 기약분수로 나타내어 보세요.

($\frac{3}{14}$ m)

✿ 정삼각형은 세 변의 길이가 같습니다.

(정삼각형의 한 변의 길이) $= \frac{9}{14} \div 3 = \frac{9 \div 3}{14} = \frac{3}{14}$ (m)

1단원

교과서 개념 확인 문제

정답과 풀이 p.6

7 $1\frac{2}{5} \div 4$를 두 가지 방법으로 계산하려고 합니다. □ 안에 알맞은 수를 써넣으세요.

방법1 $1\frac{2}{5} \div 4 = \frac{\boxed{7}}{5} \div 4 = \frac{\boxed{28}}{20} \div 4 = \frac{\boxed{28} \div 4}{20} = \frac{\boxed{7}}{20}$

방법2 $1\frac{2}{5} \div 4 = \frac{\boxed{7}}{5} \div 4 = \frac{7}{5} \times \frac{1}{\boxed{4}} = \frac{\boxed{7}}{\boxed{20}}$

✿ 대분수를 가분수로 고쳐서 계산합니다.

8 잘못 계산한 부분을 찾아 바르게 계산해 보세요.

$$2\frac{4}{5} \div 2 = 2\frac{4 \div 2}{5} = 2\frac{2}{5}$$

바른 계산 예 $2\frac{4}{5} \div 2 = \frac{14}{5} \div 2 = \frac{14 \div 2}{5} = \frac{7}{5} = 1\frac{2}{5}$

✿ 대분수를 가분수로 바꾸지 않아 잘못 계산한 것이므로 대분수를 가분수로 바꾸어 계산해야 합니다.

9 □ 안에 알맞은 기약분수를 써넣으세요.

(1)  $3\frac{3}{7}$ → □ ÷4 → $\frac{6}{7}$

(2) $7\frac{1}{5}$ → □ ÷8 → $\frac{9}{10}$

✿ (2) $7\frac{1}{5} \div 8 = \frac{36}{5} \div 8 = \frac{\overset{9}{\cancel{36}}}{5} \times \frac{1}{\underset{2}{\cancel{8}}} = \frac{9}{10}$

10 가장 작은 수를 가장 큰 수로 나눈 몫을 기약분수로 나타내어 보세요.

| 5 | $6\frac{7}{8}$ | $4\frac{3}{8}$ | 7 |

($\frac{5}{8}$)

✿ $4\frac{3}{8} < 5 < 6\frac{7}{8} < 7$이므로

$4\frac{3}{8} \div 7 = \frac{35}{8} \div 7 = \frac{35 \div 7}{8} = \frac{5}{8}$입니다.

11 넓이가 $5\frac{4}{5}$ cm²이고 가로가 3 cm인 직사각형이 있습니다. 이 직사각형의 세로는 몇 cm인지 구해 보세요.

3 cm

$\frac{29}{15}$ cm $\left(= 1\frac{14}{15} \text{ cm}\right)$

✿ (세로) = (직사각형의 넓이) ÷ (가로)

$= 5\frac{4}{5} \div 3 = \frac{29}{5} \times \frac{1}{3} = \frac{29}{15} = 1\frac{14}{15}$ (cm)

12 쌀 $5\frac{5}{6}$ kg를 매일 같은 양씩 7일 동안 모두 먹었다면 하루에 먹은 쌀은 몇 kg인지 기약분수로 나타내어 보세요.

($\frac{5}{6}$ kg)

✿ (하루에 먹은 쌀의 양) $= 5\frac{5}{6} \div 7 = \frac{35}{6} \div 7$

$= \frac{35 \div 7}{6} = \frac{5}{6}$ (kg)

1단원

개념 확인평가 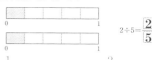　　1. 분수의 나눗셈

맞은 개수

정답과 풀이 p.7

1 그림을 보고 □ 안에 알맞은 수를 써넣으세요.

$2 \div 5 = \dfrac{2}{5}$

❖ 2÷5는 $\dfrac{1}{5}$이 2개인 것과 같으므로 $\dfrac{2}{5}$입니다.

2 □ 안에 알맞은 수를 써넣으세요.

(1) $\dfrac{10}{17} \div 5 = \dfrac{10 \div 5}{17} = \dfrac{2}{17}$

(2) $\dfrac{4}{5} \div 6 = \dfrac{12}{15} \div 6 = \dfrac{12 \div 6}{15} = \dfrac{2}{15}$

3 나눗셈을 곱셈으로 바르게 나타낸 것에 ○표 하세요.

$\dfrac{5}{9} \div 7 = \dfrac{5}{9} \times \dfrac{1}{7}$ （ ○ ）　　$\dfrac{8}{7} \div 3 = \dfrac{7}{8} \times \dfrac{1}{3}$ （ 　 ）

❖ $\dfrac{8}{7} \div 3 = \dfrac{8}{7} \times \dfrac{1}{3}$

4 $\dfrac{4}{5} \div 3$을 그림으로 나타내고, 몫을 분수로 나타내어 보세요.

 예

（ $\dfrac{4}{15}$ ）

❖ $\dfrac{4}{5}$를 3으로 나누려면 $\dfrac{4}{5}$를 $\dfrac{12}{15}$로 만듭니다.

이를 세 부분으로 나누면 $\dfrac{4}{15}$가 됩니다.

---

5 다음 중 $\dfrac{5}{8} \div 2$와 계산 결과가 같은 것은 어느 것일까요? ············· （ ⑤ ）

① $\dfrac{5}{8} \times 2$　　② $\dfrac{5}{8 \times 2}$　　③ $\dfrac{5 \times 2}{8 \times 2}$

④ $\dfrac{5}{8} \div \dfrac{1}{2}$　　⑤ $\dfrac{5}{8} \times \dfrac{1}{2}$

❖ $\dfrac{5}{8} \div 2 = \dfrac{5}{8} \times \dfrac{1}{2}$이므로 ⑤와 계산 결과가 같습니다.

6 나눗셈의 몫이 1보다 큰 것에 ○표 하세요.

11÷15	22÷17
（ 　 ）	（ ○ ）

❖ $11 \div 15 = \dfrac{11}{15} < 1, \ 22 \div 17 = \dfrac{22}{17} = 1\dfrac{5}{17} > 1$

7 $2\dfrac{5}{8} \div 3$을 두 가지 방법으로 계산해 보세요.

방법1 예 $2\dfrac{5}{8} \div 3 = \dfrac{21}{8} \div 3 = \dfrac{21 \div 3}{8} = \dfrac{7}{8}$

방법2 예 $2\dfrac{5}{8} \div 3 = \dfrac{21}{8} \times \dfrac{1}{3} = \dfrac{21}{24}\left(=\dfrac{7}{8}\right)$

❖ 방법1 분자를 자연수로 나누는 방법입니다.
방법2 분수의 곱셈으로 나타내어 계산하는 방법입니다.

8 나눗셈을 하여 기약분수로 나타내어 보세요.

(1) $\dfrac{8}{9} \div 10 = \dfrac{4}{45}$　　(2) $\dfrac{18}{5} \div 6 = \dfrac{3}{5}$

(3) $3\dfrac{3}{4} \div 5 = \dfrac{3}{4}$　　(4) $6\dfrac{2}{3} \div 8 = \dfrac{5}{6}$

❖ (1) $\dfrac{8}{9} \div 10 = \dfrac{\overset{4}{\cancel{8}}}{9} \times \dfrac{1}{\underset{5}{\cancel{10}}} = \dfrac{4}{45}$

1 단원

(4) $6\dfrac{2}{3} \div 8 = \dfrac{20}{3} \div 8 = \dfrac{\overset{5}{\cancel{20}}}{3} \times \dfrac{1}{\underset{2}{\cancel{8}}} = \dfrac{5}{6}$

개념 확인평가　　1. 분수의 나눗셈

정답과 풀이 p.7

9 넓이가 $9\dfrac{3}{5}$ cm²인 평행사변형이 있습니다. 이 평행사변형의 높이는 몇 cm인지 기약분수로 나타내어 보세요.

□ cm
4 cm

❖ $9\dfrac{3}{5} \div 4 = \dfrac{48}{5} \div 4 = \dfrac{48 \div 4}{5}$
$= \dfrac{12}{5} = 2\dfrac{2}{5}$ (cm)

$\dfrac{12}{5}$ cm $\left(=2\dfrac{2}{5} \text{ cm}\right)$

10 한 병에 $\dfrac{6}{1}$ L 씩 들어 있는 주스가 5병 있습니다. 이 주스를 일주일 동안 똑같이 나누어 마신다면 하루에 몇 L씩 마실 수 있는지 분수로 나타내어 보세요.

（ $\dfrac{6}{7}$ L ）

11 수 카드 3장을 한 번씩 모두 사용하여 계산 결과가 가장 작은 (분수)÷(자연수)의 나눗셈식을 만들고 계산해 보세요.

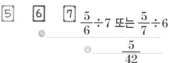
5　6　7
$\dfrac{5}{6} \div 7$ 또는 $\dfrac{5}{7} \div 6$

$\dfrac{5}{42}$

12 □ 안에 들어갈 수 있는 자연수를 모두 구해 보세요.

$\dfrac{\square}{9} < 1\dfrac{2}{3} \div 3$

（ 1, 2, 3, 4 ）

❖ $1\dfrac{2}{3} \div 3 = \dfrac{5}{3} \div 3 = \dfrac{5}{3} \times \dfrac{1}{3} = \dfrac{5}{9}$ 입니다. $\dfrac{\square}{9} < 1\dfrac{2}{3} \div 3$은 $\dfrac{\square}{9} < \dfrac{5}{9}$와 같습니다.

□는 5보다 작아야 하므로 □ 안에 들어갈 수 있는 자연수는 1, 2, 3, 4입니다.

❖ (전체 주스의 양) $= \dfrac{6}{5} \times \dfrac{1}{1} = 6$ (L)

일주일은 7일입니다.

(하루에 마실 수 있는 주스의 양) $= 6 \div 7 = \dfrac{6}{7}$ (L)

❖ ■ ÷ ▲는 ■ $\times \dfrac{1}{▲}$로 계산할 수 있습니다. 나눗셈 결과가 가장 작을 때는 ■와 ▲의 곱이 가장 클 때입니다.

따라서 $\dfrac{5}{6} \div 7$ 또는 $\dfrac{5}{7} \div 6$을 만들어야 합니다.

$\dfrac{5}{6} \div 7 = \dfrac{5}{6} \times \dfrac{1}{7} = \dfrac{5}{42}$ 또는 $\dfrac{5}{7} \div 6 = \dfrac{5}{7} \times \dfrac{1}{6} = \dfrac{5}{42}$

[GO! 매쓰]
여기까지 1단원 내용입니다.
다음부터는 2단원 내용이
시작합니다.

교과서 개념 잡기

개념 1 각기둥 알아보기

   등과 같은 입체도형을 각기둥이라고 합니다.

각기둥의 특징
① 서로 평행한 두 면이 있습니다.
② 서로 평행한 두 면이 합동입니다.
③ 서로 평행한 두 면이 다각형입니다.

· 겨냥도를 그릴 때 보이는 모서리는 실선으로, 보이지 않는 모서리는 점선으로 나타냅니다.

개념 2 각기둥의 밑면과 옆면

· 면 ㄱㄴㄷ, 면 ㄹㅁㅂ과 같이 서로 평행하고 합동인 두 면을 밑면이라고 합니다.
이때 두 밑면은 나머지 면들과 모두 수직으로 만납니다.
· 면 ㄱㄹㅁㄴ, 면 ㄴㅁㅂㄷ, 면 ㄷㅂㄹㄱ과 같이 두 밑면과 만나는 면을 옆면이라고 합니다.
이때 각기둥의 옆면은 모두 직사각형입니다.

개념 O X

각기둥이면 ○표, 각기둥이 아니면 ×표 하세요.

정답과 풀이 p.8

[1~2] 입체도형을 보고 물음에 답하세요.

 가 나 다 라

1 서로 평행한 두 면이 있는 입체도형을 모두 찾아 기호를 써 보세요.

(**가, 나, 라**)

2 각기둥을 모두 찾아 기호를 써 보세요.

(**가, 라**)

❖ 서로 평행한 두 면이 합동인 다각형으로 이루어진 입체도형을 각기둥이라고 합니다.

3 각기둥의 겨냥도를 완성해 보세요.

 →

❖ 보이는 모서리는 실선으로, 보이지 않는 모서리는 점선으로 나타냅니다.

4 각기둥에서 두 밑면을 찾아 색칠해 보세요.

(1)   (2)

❖ 서로 평행하고 합동인 두 면을 색칠합니다.

교과서 개념 잡기

개념 3 각기둥의 이름

각기둥은 밑면의 모양에 따라 삼각기둥, 사각기둥, 오각기둥……이라고 합니다.

각기둥			
밑면의 모양	삼각형	사각형	오각형
각기둥의 이름	삼각기둥	사각기둥	오각기둥

개념 4 각기둥의 구성 요소

각기둥에서 면과 면이 만나는 선분을 모서리라 하고, 모서리와 모서리가 만나는 점을 꼭짓점이라고 하며, 두 밑면 사이의 거리를 높이라고 합니다.

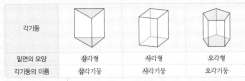

옆면끼리 만나서 생긴 모서리의 길이로 높이를 알 수 있어요.

각기둥의 높이는 합동인 두 밑면의 대응하는 꼭짓점을 이은 모서리의 길이와 같습니다.

개념 O X

각기둥의 이름을 바르게 설명한 사람에게 ○표 하세요.

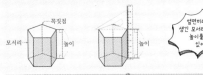

옆면의 모양이 사각형이므로 사각기둥이야.

밑면의 모양이 육각형이므로 육각기둥이야.

---

1 각기둥의 이름을 찾아 선으로 이어 보세요.

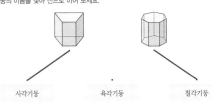

사각기둥   육각기둥   칠각기둥

❖ 왼쪽 각기둥은 밑면의 모양이 사각형이므로 사각기둥입니다.
오른쪽 각기둥은 밑면의 모양이 칠각형이므로 칠각기둥입니다.

2 보기에서 알맞은 말을 찾아 □ 안에 써넣으세요.

보기
높이   꼭짓점   모서리   밑면   옆면

모서리   높이   꼭짓점

❖ 모서리: 면과 면이 만나는 선분
꼭짓점: 모서리와 모서리가 만나는 점
높이: 두 밑면 사이의 거리

3 각기둥의 겨냥도에서 모서리는 파란색으로, 꼭짓점은 빨간색으로 모두 표시해 보세요.

(1)   (2)

❖ 모서리: 면과 면이 만나는 선분
꼭짓점: 모서리와 모서리가 만나는 점

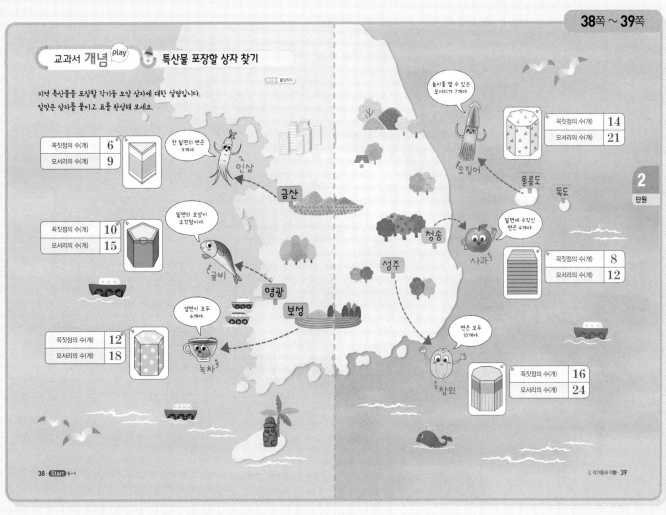

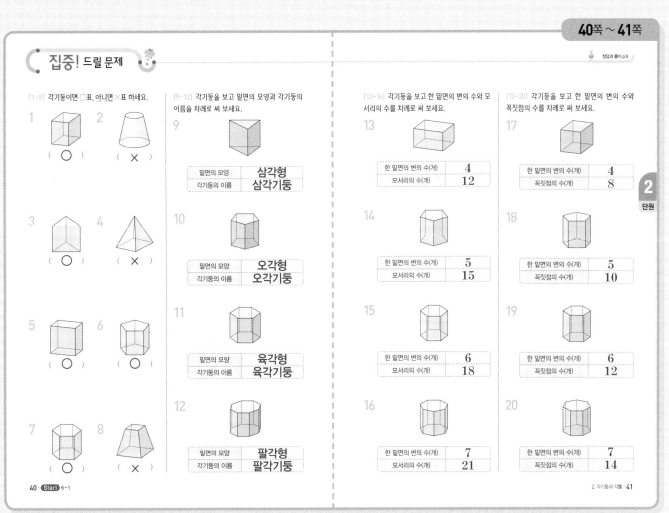

교과서 **개념 확인 문제**

정답과 풀이 p.10

1 서로 평행하고 합동인 두 다각형이 있는 입체도형 모양의 물건에 ○표 하세요.

( ) ( ) (○) ( )

❖ 서로 평행하고 합동인 두 다각형이 있는 입체도형은 각기둥입니다.
➜ 각기둥 모양의 물건은 상자입니다.

2 각기둥을 보고 □ 안에 각 부분의 이름을 써넣으세요.

꼭짓점 밑면 옆면 모서리

❖ 밑면: 서로 평행하고 합동인 두 면, 옆면: 두 밑면과 만나는 면
모서리: 면과 면이 만나는 선분, 꼭짓점: 모서리와 모서리가 만나는 점

3 각기둥을 보고 물음에 답하세요.

(1) 밑면을 모두 찾아 써 보세요.

면 ㄱㄴㄷㄹ, 면 ㅁㅂㅅㅇ

(2) 옆면을 모두 찾아 써 보세요.

면 ㄱㅁㅂㄴ, 면 ㄴㅂㅅㄷ, 면 ㄷㅅㅇㄹ, 면 ㄹㅇㅁㄱ

❖ (1) 서로 평행하고 합동이면서 나머지 면들과 수직으로 만나는
두 면을 찾습니다.

42 · Start 6-1 (2) 밑면에 수직인 면을 모두 찾습니다.

4 각기둥의 밑면을 모두 찾아 색칠해 보세요.

(1) (2)

❖ 각기둥에서 서로 평행하고 합동인 두 면에 모두 색칠합니다.
이때 두 밑면이 나머지 면들과 모두 수직으로 만나는지 확인합니다.

5 각기둥을 보고 밑면에 수직인 면은 몇 개인지 써 보세요.

(1) (2)

(4개) (5개)

❖ 각기둥에서 밑면에 수직인 면은 옆면입니다.

6 알맞은 말에 ○표 하세요.

(1) 각기둥의 밑면은 (1개 , (2개))입니다.

(2) 각기둥의 옆면은 모두 (삼각형 , (직사각형))입니다.

❖ (1) 각기둥에서 서로 평행하고 합동인 두 면을 밑면이라고 합니다.
(2) 각기둥의 옆면은 모두 직사각형입니다.

7 각기둥을 보고 빈칸에 알맞은 말을 써넣으세요.

입체도형		
밑면의 모양	삼각형	육각형
각기둥의 이름	삼각기둥	육각기둥

❖ (1) 밑면의 모양이 삼각형인 각기둥은 삼각기둥입니다.
(2) 밑면의 모양이 육각형인 각기둥은 육각기둥입니다.

2단원

2. 각기둥과 각뿔 · 43

교과서 **개념 확인 문제**

정답과 풀이 p.10

8 각기둥에서 두 밑면 사이의 거리를 잴 수 있는 모서리는 몇 개일까요?

(3개)

❖ 삼각기둥에서 두 밑면 사이의 거리(높이)를 잴 수 있는 모서리
는 3개입니다.

9 색칠한 면이 한 밑면이라고 할 때 각기둥의 높이를 잴 수 있는 모서리를 모두 찾아 기호를 써
보세요.

⊙ 선분 ㄱㄴ   ⓛ 선분 ㄴㅂ   ⓒ 선분 ㄹㅇ
② 선분 ㅂㅅ   ⓜ 선분 ㄷㄹ   ⓐ 선분 ㄷㅅ

(ⓛ, ⓒ, ⓐ)

10 각기둥의 겨냥도를 완성해 보세요.

❖ 각기둥의 겨냥도를 나타낼 때에는 보이는 모서리는 실선으로,
보이지 않는 모서리는 점선으로 나타냅니다.

11 각기둥의 높이는 몇 cm일까요?

(9 cm)

❖ 두 밑면 사이의 거리는 9 cm입니다.

44 · Start 6-1

12 각기둥을 보고 물음에 답하세요.

(1) 각기둥의 이름을 써 보세요.
❖ 밑면의 모양이 오각형이므로 오각기둥입니다. (오각기둥)

(2) 모서리는 파란색으로, 꼭짓점은 빨간색으로 표시해 보세요.

❖ 오각기둥의 모서리는 15개, 꼭짓점은 10개입니다.

[13~14] 각기둥을 보고 물음에 답하세요.

13 표를 완성해 보세요.

도형	한 밑면의 변의 수(개)	꼭짓점의 수(개)	면의 수(개)	모서리의 수(개)
삼각기둥	3	6	5	9
사각기둥	4	8	6	12
오각기둥	5	10	7	15

❖ 꼭짓점: 모서리와 모서리가 만나는 점
모서리: 면과 면이 만나는 선분

14 위 13의 표를 보고 규칙을 찾아 □ 안에 알맞은 수를 써넣으세요.

(1) (각기둥의 꼭짓점의 수)=(한 밑면의 변의 수)× 2

(2) (각기둥의 면의 수)=(한 밑면의 변의 수)+ 2

(3) (각기둥의 모서리의 수)=(한 밑면의 변의 수)× 3

❖ 꼭짓점의 수 ➜ 삼각기둥: 3×2=6, 사각기둥: 4×2=8, 오각기둥: 5×2=10
면의 수 ➜ 삼각기둥: 3+2=5, 사각기둥: 4+2=6, 오각기둥: 5+2=7
모서리의 수 ➜ 삼각기둥: 3×3=9, 사각기둥: 4×3=12, 오각기둥: 5×3=15

2단원

2. 각기둥과 각뿔 · 45

교과서 개념 잡기

개념 5 각기둥의 전개도 알아보기

각기둥의 모서리를 잘라서 평면 위에 펼쳐 놓은 그림을 각기둥의 전개도라고 합니다.

> 전개도는 어느 모서리를 자르는가에 따라 여러 가지 모양이 나올 수 있어요.

① 합동인 2개의 밑면과 직사각형 모양의 옆면이 있습니다.
② 전개도를 접었을 때 맞닿는 선분의 길이는 같습니다.

개념 6 각기둥의 전개도 그려 보기

각기둥의 전개도를 그릴 때 잘린 모서리는 실선으로, 잘리지 않은 모서리는 점선으로 그립니다.

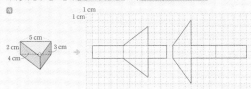

개념 OX

🔵 전개도를 접어 만든 도형을 바르게 설명한 사람에게 ○표 하세요.

 → 밑면의 모양이 삼각형이므로 삼각기둥이야.

 옆면의 모양이 사각형이므로 사각기둥이야.

46 · Start 6-1

정답과 풀이 p.11

1 전개도를 접어 삼각기둥을 만들 수 있으면 ○표, 만들 수 없으면 ✕표 하세요.

(✕)

2 전개도를 접어 만든 각기둥의 이름을 써 보세요.

(사각기둥)

✤ 밑면의 모양이 사각형인 각기둥이므로 사각기둥입니다.

3 전개도를 접어서 각기둥을 만들었습니다. ☐ 안에 알맞은 수를 써넣으세요.

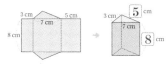

✤ 전개도를 접었을 때 서로 맞닿는 선분의 길이는 같습니다.

4 사각기둥의 전개도를 완성해 보세요.

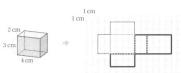

✤ 잘린 모서리는 실선으로, 잘리지 않은 모서리는 점선으로 나타냅니다.

2. 각기둥과 각뿔 · 47

교과서 개념 잡기

개념 7 각뿔 알아보기

 등과 같은 입체도형을 각뿔이라고 합니다.

· 면 ㄴㄷㄹㅁ과 같은 면을 밑면이라고 합니다.
· 면 ㄱㄴㄷ, 면 ㄱㄷㄹ, 면 ㄱㄹㅁ, 면 ㄱㅁㄴ과 같이 밑면과 만나는 면을 옆면이라고 합니다.
  이때 각뿔의 옆면은 모두 삼각형입니다.

개념 8 각뿔의 이름

각뿔은 밑면의 모양에 따라 삼각뿔, 사각뿔, 오각뿔……이라고 합니다.

각뿔			
밑면의 모양	삼각형	사각형	오각형
각뿔의 이름	삼각뿔	사각뿔	오각뿔

개념 9 각뿔의 구성 요소

각뿔에서 면과 면이 만나는 선분을 모서리라 하고, 모서리와 모서리가 만나는 점을 꼭짓점이라고 합니다. 꼭짓점 중에서도 옆면이 모두 만나는 점을 각뿔의 꼭짓점이라 하고, 각뿔의 꼭짓점에서 밑면에 수직인 선분의 길이를 높이라고 합니다.

개념 OX

🔵 각뿔에 대한 설명이 맞으면 ○표, 틀리면 ✕표 하세요.

밑면은 다각형입니다. 옆면은 모두 삼각형입니다. 밑면은 1개입니다.

48 · Start 6-1

[1~2] 입체도형을 보고 물음에 답하세요.

가   나   다   라

1 밑면이 다각형인 입체도형을 모두 찾아 기호를 써 보세요.

(가, 나, 다)

2 각뿔을 찾아 기호를 써 보세요.

(가)

✤ 밑면이 다각형이고 옆면이 삼각형인 입체도형을 각뿔이라고 합니다.

3 각뿔의 밑면을 찾아 색칠하고, 옆면은 모두 몇 개인지 구해 보세요.

(1)  옆면의 수(개) 4

(2)   옆면의 수(개) 5

> 바닥에 놓인 면을 밑면이라 하고, 밑면과 만나는 면을 옆면이라고 해.

✤ 각뿔의 옆면은 삼각형이고 옆면의 수는 밑면의 변의 수와 같습니다.

4 보기에서 알맞은 말을 찾아 ☐ 안에 써넣으세요.

보기
모서리   각뿔의 꼭짓점   높이   밑면   옆면

각뿔의 꼭짓점
높이   모서리

✤ 모서리: 면과 면이 만나는 선분
각뿔의 꼭짓점: 꼭짓점(모서리와 모서리가 만나는 점) 중에서도 옆면이 모두 만나는 점
높이: 각뿔의 꼭짓점에서 밑면에 수직인 선분의 길이

2. 각기둥과 각뿔 · 49

정답과 풀이 · 11

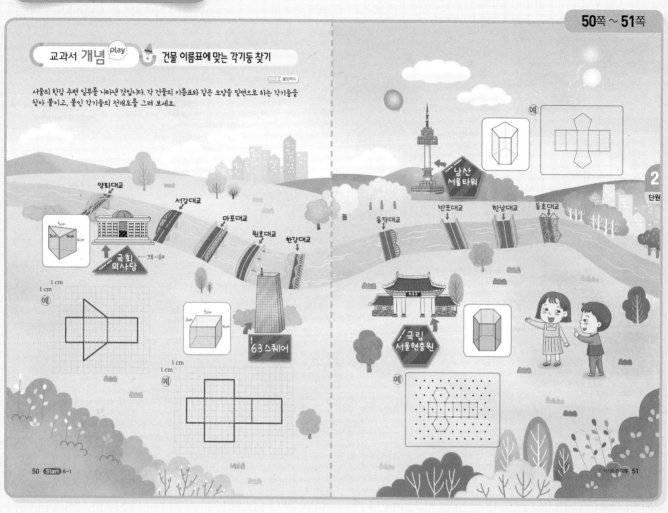

교과서 개념 play · 건물 이름표에 맞는 각기둥 찾기

서울의 한강 주변 일부를 나타낸 것입니다. 각 건물의 이름표와 같은 모양을 밑면으로 하는 각기둥을 찾아 붙이고, 붙인 각기둥의 전개도를 그려 보세요.

집중! 드릴 문제

정답과 풀이 p.12

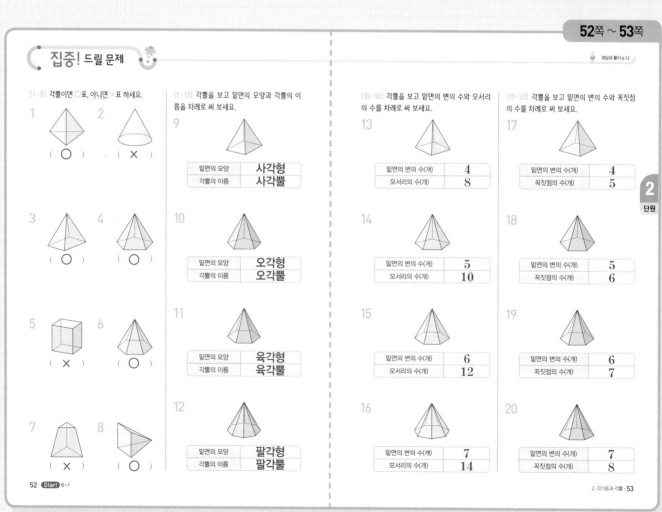

[1~8] 각뿔이면 ○표, 아니면 ×표 하세요.

1 (○) 2 (×)

3 (○) 4 (○)

5 (×) 6 (○)

7 (×) 8 (○)

[9~12] 각뿔을 보고 밑면의 모양과 각뿔의 이름을 차례로 써 보세요.

9
| 밑면의 모양 | 사각형 |
| 각뿔의 이름 | 사각뿔 |

10
| 밑면의 모양 | 오각형 |
| 각뿔의 이름 | 오각뿔 |

11
| 밑면의 모양 | 육각형 |
| 각뿔의 이름 | 육각뿔 |

12
| 밑면의 모양 | 팔각형 |
| 각뿔의 이름 | 팔각뿔 |

[13~16] 각뿔을 보고 밑면의 변의 수와 모서리의 수를 차례로 써 보세요.

13
| 밑면의 변의 수(개) | 4 |
| 모서리의 수(개) | 8 |

14
| 밑면의 변의 수(개) | 5 |
| 모서리의 수(개) | 10 |

15
| 밑면의 변의 수(개) | 6 |
| 모서리의 수(개) | 12 |

16
| 밑면의 변의 수(개) | 7 |
| 모서리의 수(개) | 14 |

[17~20] 각뿔을 보고 밑면의 변의 수와 꼭짓점의 수를 차례로 써 보세요.

17
| 밑면의 변의 수(개) | 4 |
| 꼭짓점의 수(개) | 5 |

18
| 밑면의 변의 수(개) | 5 |
| 꼭짓점의 수(개) | 6 |

19
| 밑면의 변의 수(개) | 6 |
| 꼭짓점의 수(개) | 7 |

20
| 밑면의 변의 수(개) | 7 |
| 꼭짓점의 수(개) | 8 |

교과서 개념 확인 문제

정답과 풀이 p.13

1 각뿔을 보고 □안에 각 부분의 이름을 써넣으세요.

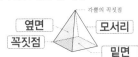

각뿔의 꼭짓점

옆면   모서리
꼭짓점   밑면

❖ 모서리: 면과 면이 만나는 선분
꼭짓점: 모서리와 모서리가 만나는 점

2 각뿔을 보고 물음에 답하세요.

(1) 밑면을 찾아 색칠해 보세요.

(2) 각뿔에서 밑면과 만나는 면을 무엇이라고 할까요?
(**옆면**)

(3) 밑면과 만나는 면은 모두 몇 개일까요?
(**6개**)

❖ (2) 밑면과 만나는 면을 옆면이라고 합니다.
(3) 밑면과 만나는 면은 옆면이고, 옆으로 둘러싸인 면을 세어 보면
모두 6개입니다.

3 각뿔을 보고 물음에 답하세요.

(1) 밑면을 찾아 써 보세요.
(**면 ㄴㄷㄹㅁㅂ**)

(2) 옆면을 모두 찾아 써 보세요.
면 ㄱㄴㄷ, 면 ㄱㄷㄹ, 면 ㄱㄹㅁ,
면 ㄱㅁㅂ, 면 ㄱㅂㄴ

4 각뿔을 보고 밑면과 옆면의 모양에 각각 ○표 하세요.

밑면	삼각형	직사각형
옆면	삼각형	직사각형

❖ 삼각뿔의 밑면은 삼각형이고, 옆면도 모두 삼각형입니다.

54 · Start 6-1

5 사각뿔의 높이를 재는 방법을 바르게 생각한 사람의 이름을 써 보세요.

준우   예지   은주

(**예지**)

❖ 각뿔의 높이를 잴 때 각뿔의 꼭짓점에서 밑면에 수직인 선분의
길이를 재면 되므로 바르게 생각한 사람은 예지입니다.

6 전개도를 접어 만든 각기둥의 이름을 써 보세요.

(1)   (2)

(**오각기둥**)   (**사각기둥**)

❖ (1) 밑면의 모양이 오각형인 각기둥이므로 오각기둥입니다.
(2) 밑면의 모양이 사각형인 각기둥이므로 사각기둥입니다.

7 왼쪽 각기둥을 보고 전개도를 그린 것입니다. □안에 알맞은 수를 써넣으세요.

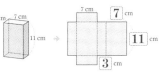

3 cm   7 cm   7 cm   **7** cm
11 cm   **11** cm   **3** cm

❖ 각기둥의 옆면은 모두 직사각형이고 접었을 때
서로 맞닿는 선분의 길이는 같습니다.

2단원

2. 각기둥과 각뿔 · 55

교과서 개념 확인 문제

정답과 풀이 p.13

8 전개도를 접었을 때 선분 ㄱㅎ과 맞닿는 선분을 찾아 써 보세요.

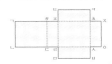

(**선분 ㅋㅌ**)

❖ 전개도를 접으면 점 ㄱ과 점 ㅋ, 점 ㅎ과 점 ㅌ이 만나므로 선분 ㄱㅎ과
맞닿는 선분은 선분 ㅋㅌ입니다.

9 사각기둥의 전개도를 완성해 보세요.

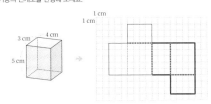

1 cm
1 cm
3 cm   4 cm
5 cm

❖ 각기둥의 전개도를 그릴 때 잘린 모서리는 실선으로, 잘리지 않은 모서리
는 점선으로 그립니다.

10 삼각기둥의 전개도를 완성해 보세요.

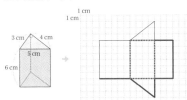

1 cm
1 cm
3 cm   4 cm
5 cm
6 cm

56 · Start 6-1

11 육각기둥의 겨냥도를 보고 육각기둥의 전개도를 완성해 보세요.

❖ 육각기둥의 전개도에 육각형 모양의 밑면은 2개, 직사각형 모
양의 옆면은 6개가 있어야 합니다.

「12~13」 각뿔을 보고 물음에 답하세요.

12 표를 완성해 보세요.

도형	밑면의 변의 수(개)	꼭짓점의 수(개)	면의 수(개)	모서리의 수(개)
삼각뿔	3	4	4	6
사각뿔	4	5	5	8
오각뿔	5	6	6	10

❖ 꼭짓점: 모서리와 모서리가 만나는 점
모서리: 면과 면이 만나는 선분

13 위 12의 표를 보고 규칙을 찾아 □안에 알맞은 수를 써넣으세요.

(1) (각뿔의 꼭짓점의 수)=(밑면의 변의 수)+ **1**

(2) (각뿔의 면의 수)=(밑면의 변의 수)+ **1**

(3) (각뿔의 모서리의 수)=(밑면의 변의 수)× **2**

오각뿔: 5+1=6

❖ 꼭짓점의 수 ➡ 삼각뿔: 3+1=4, 사각뿔: 4+1=5, 오각뿔: 5+1=6
면의 수 ➡ 삼각뿔: 3+1=4, 사각뿔: 4+1=5, 오각뿔: 5+1=6
모서리의 수 ➡ 삼각뿔: 3×2=6, 사각뿔: 4×2=8, 오각뿔: 5×2=10

2단원

2. 각기둥과 각뿔 · 57

개념 **확인평가**   2. 각기둥과 각뿔

맞은 개수

정답과 풀이 p.14

[1~2] 입체도형을 보고 물음에 답하세요.

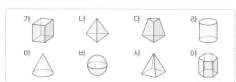

가 나 다 라
마 바 사 아

1 각기둥을 모두 찾아 기호를 써 보세요.

(**가, 아**)

✤ 서로 평행한 두 면이 합동인 다각형으로 이루어진 입체도형을 각기둥이라고 합니다.

2 각뿔을 모두 찾아 기호를 써 보세요.

(**나, 사**)

✤ 밑면이 다각형이고 옆면이 삼각형인 입체도형을 각뿔이라고 합니다.

3 각기둥의 겨냥도를 바르게 그린 사람의 이름을 써 보세요.

 → 현서   윤하

(**윤하**)

✤ 각기둥의 겨냥도를 그릴 때 보이는 모서리는 실선으로, 보이지 않는 모서리는 점선으로 나타냅니다.

4 각기둥을 보고 밑면을 모두 찾아 써 보세요.

밑면   **면 ㄱㄴㄷㄹ, 면 ㅁㅂㅅㅇ**

5 밑면의 모양이 오른쪽 벌집의 모양과 같은 각기둥의 이름을 써 보세요.

(**육각기둥**)

✤ 밑면의 모양이 육각형인 각기둥은 육각기둥입니다.

6 알맞은 말에 ○표 하세요.

(1) 각뿔의 밑면은 (①개), 2개 입니다.

(2) 각뿔의 옆면은 모두 (삼각형), 사각형 입니다.

✤ (1) 각뿔을 놓았을 때 바닥에 놓인 면을 밑면이라고 합니다.
　(2) 각뿔의 옆면은 모두 삼각형입니다.

7 각뿔의 높이는 몇 cm일까요?

(1)   (2)

(**8 cm**)   (**20 cm**)

✤ 각뿔의 높이는 각뿔의 꼭짓점에서 밑면에 수직인 선분의 길이이므로 (1) 8 cm, (2) 20 cm입니다.

8 각뿔의 겨냥도에서 모서리는 파란색으로, 꼭짓점은 빨간색으로 표시한 다음 모서리, 꼭짓점이 각각 몇 개인지 구해 보세요.

모서리의 수(개)	12
꼭짓점의 수(개)	7

✤ 모서리: 면과 면이 만나는 선분 ➔ 12개
꼭짓점: 모서리와 모서리가 만나는 점 ➔ 7개

개념 **확인평가**   2. 각기둥과 각뿔

정답과 풀이 p.14

9 전개도를 접어 만든 각기둥의 이름을 써 보세요.

(**오각기둥**)

✤ 밑면의 모양이 오각형인 각기둥이므로 오각기둥입니다.

10 다음 입체도형이 각뿔이 아닌 이유를 써 보세요.

이유 **옆면이 삼각형이 아니므로 각뿔이 아닙니다.**

✤ 밑면이 다각형이고 옆면이 삼각형인 입체도형을 각뿔이라고 합니다.

11 사각기둥의 전개도를 완성해 보세요.

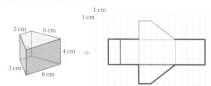

✤ 각기둥의 전개도를 그릴 때 잘린 모서리는 실선으로, 잘리지 않은 모서리는 점선으로 그립니다.

12 표를 완성해 보세요.

도형	밑면의 모양	꼭짓점의 수(개)	면의 수(개)	모서리의 수(개)
칠각기둥	**칠각형**	14	9	21
칠각뿔	**칠각형**	8	8	14

✤ 칠각기둥의 한 밑면의 변은 7개이므로
꼭짓점은 7 × 2 = 14(개), 면은 7 + 2 = 9(개),
모서리는 7 × 3 = 21(개)입니다.
칠각뿔의 밑면의 변은 7개이므로 꼭짓점은 7 + 1 = 8(개),
면은 7 + 1 = 8(개), 모서리는 7 × 2 = 14(개)입니다.

[GO! 매쓰]
여기까지 2단원 내용입니다.
다음부터는 3단원 내용이
시작합니다.

교과서 **개념 잡기**

정답과 풀이 p.15

개념 1 자연수의 나눗셈을 이용한 (소수)÷(자연수) 알아보기

◎ 286÷2를 이용하여 28.6÷2와 2.86÷2를 계산하기

나누는 수가 같고 나누어지는 수가 $\frac{1}{10}\left(\frac{1}{100}\right)$배가 되면 몫도 $\frac{1}{10}\left(\frac{1}{100}\right)$배가 되므로 소수점이 왼쪽으로 한 칸(두 칸) 이동합니다.

개념 2 각 자리에서 나누어떨어지지 않는 (소수)÷(자연수) 알아보기

◎ 14.72÷4를 계산하기

① 분수의 나눗셈으로 바꾸어 계산하기

$$14.72÷4=\frac{1472}{100}÷4=\frac{1472÷4}{100}$$

$$=\frac{368}{100}=3.68$$

② 1472÷4를 이용하여 계산하기

$$1472÷4=368 \rightarrow 14.72÷4=3.68$$

③ 세로로 계산하기

자연수의 나눗셈과 같은 방법으로 계산한 뒤, 몫의 소수점은 나누어지는 수의 소수점을 올려 찍습니다.

개념 O X

◎ 639÷3=213입니다. 63.9÷3의 몫을 바르게 나타낸 사람에게 ○표 하세요.

2.13   ②2.13

62 · Start 6-1

---

1 자연수의 나눗셈을 이용하여 □ 안에 알맞은 수를 써넣으세요.

(1)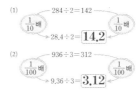
284÷2=142
28.4÷2= **14.2**

(2)
936÷3=312
9.36÷3= **3.12**

2 소수의 나눗셈을 분수의 나눗셈으로 바꾸어 계산하려고 합니다. □ 안에 알맞은 수를 써넣으세요.

$$67.16÷4=\frac{6716}{100}÷4=\frac{6716÷4}{100}=\frac{1679}{100}=\boxed{16.79}$$

❖ 소수 두 자리 수는 분모가 100인 분수로 바꾸어 계산합니다.

3 자연수의 나눗셈을 이용하여 □ 안에 알맞은 수를 써넣으세요.

(1) 3795÷5=759 → 379.5÷5= **75.9**

(2) 2412÷9=268 → 24.12÷9= **2.68**

4 □ 안에 알맞은 수를 써넣으세요.

(1)
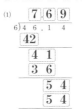

(2)

❖ 자연수의 나눗셈과 같은 방법으로 구한 뒤, 나누어지는 수의 소수점 위치에 맞게 소수점을 찍습니다.

3. 소수의 나눗셈 · 63

  교과서 **개념 잡기**

정답과 풀이 p.15

개념 3 몫이 1보다 작은 소수인 (소수)÷(자연수) 알아보기

◎ 2.34÷3을 계산하기

① 분수의 나눗셈으로 바꾸어 계산하기

$$2.34÷3=\frac{234}{100}÷3=\frac{234÷3}{100}$$

$$=\frac{78}{100}=0.78$$

② 234÷3을 이용하여 계산하기

$$234÷3=78 \rightarrow 2.34÷3=0.78$$

③ 세로로 계산하기

자연수의 나눗셈과 같은 방법으로 계산한 뒤, 몫의 소수점은 나누어지는 수의 소수점을 올려 찍습니다. 이때, 몫의 자연수 부분이 비어 있을 경우 일의 자리에 0을 씁니다.

개념 4 소수점 아래 0을 내려 계산해야 하는 (소수)÷(자연수) 알아보기

◎ 7.5÷2를 계산하기

① 분수의 나눗셈으로 바꾸어 계산하기

$$7.5÷2=\frac{750}{100}÷2=\frac{750÷2}{100}$$

$$=\frac{375}{100}=3.75$$

② 750÷2를 이용하여 계산하기

$$750÷2=375 \rightarrow 7.5÷2=3.75$$

③ 세로로 계산하기

소수점 아래에서 나누어떨어지지 않는 경우 0을 내려 계산합니다.

개념 O X

◎ 175÷5=35입니다. 1.75÷5의 몫을 바르게 나타낸 사람에게 ○표 하세요.

0.35   3.5

64 · Start 6-1

---

1 소수의 나눗셈을 분수의 나눗셈으로 바꾸어 계산하려고 합니다. □ 안에 알맞은 수를 써넣으세요.

$$4.83÷7=\frac{483}{100}÷7=\frac{483÷7}{100}=\frac{69}{100}=\boxed{0.69}$$

2 자연수의 나눗셈을 이용하여 □ 안에 알맞은 수를 써넣으세요.

(1) 1470÷6=245 → 14.7÷6= **2.45**

(2) 3720÷8=465 → 37.2÷8= **4.65**

3 □ 안에 알맞은 수를 써넣으세요.

(1)

(2)

❖ 나누어지는 수가 나누는 수보다 작은 경우 몫의 자연수 부분에 0을 쓰고 소수점을 찍은 다음 자연수의 나눗셈과 같은 방법으로 계산합니다.

4 나머지가 0이 될 때까지 계산해 보세요.

(1)

(2)

❖ 소수점 아래에서 나누어떨어지지 않는 경우에는 나누어지는 수의 오른쪽 끝자리에 0이 계속 있는 것으로 생각하고 0을 내려 계산합니다.

3. 소수의 나눗셈 · 65

교과서 개념 play 꼬치 완성하기

나눗셈의 몫이 써 있는 붙임딱지를 붙여 꼬치를 완성해 보세요.

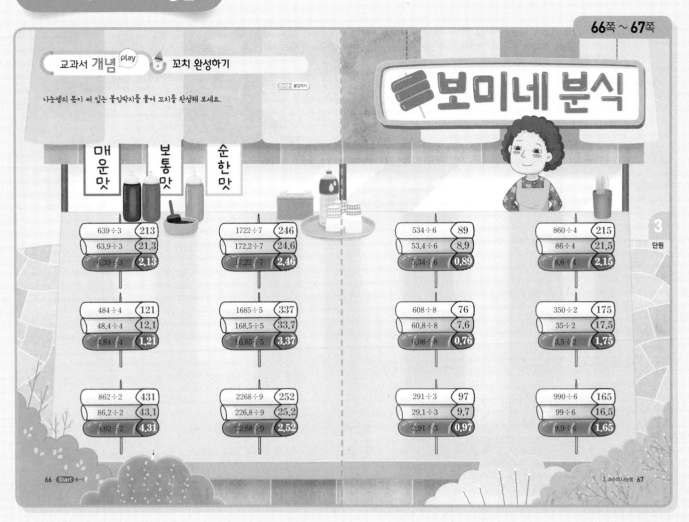

보미네 분식

매운맛		
$639 \div 3$	213	
$63.9 \div 3$	21.3	
$6.39 \div 3$	2.13	

보통맛		
$1722 \div 7$	246	
$172.2 \div 7$	24.6	
$17.22 \div 7$	2.46	

순한맛		
$534 \div 6$	89	
$53.4 \div 6$	8.9	
$5.34 \div 6$	0.89	

$860 \div 4$	215	
$86 \div 4$	21.5	
$8.6 \div 4$	2.15	

$484 \div 4$	121
$48.4 \div 4$	12.1
$4.84 \div 4$	1.21

$1685 \div 5$	337
$168.5 \div 5$	33.7
$16.85 \div 5$	3.37

$608 \div 8$	76
$60.8 \div 8$	7.6
$6.08 \div 8$	0.76

$350 \div 2$	175
$35 \div 2$	17.5
$3.5 \div 2$	1.75

$862 \div 2$	431
$86.2 \div 2$	43.1
$8.62 \div 2$	4.31

$2268 \div 9$	252
$226.8 \div 9$	25.2
$22.68 \div 9$	2.52

$291 \div 3$	97
$29.1 \div 3$	9.7
$2.91 \div 3$	0.97

$990 \div 6$	165
$99 \div 6$	16.5
$9.9 \div 6$	1.65

3 단원

집중! 드릴 문제

정답과 풀이 p.16

[1~5] 자연수의 나눗셈을 이용하여 □ 안에 알맞은 수를 써넣으세요.

1 $286 \div 2 = \boxed{143}$
$28.6 \div 2 = \boxed{14.3}$
$2.86 \div 2 = \boxed{1.43}$

2 $693 \div 3 = \boxed{231}$
$69.3 \div 3 = \boxed{23.1}$
$6.93 \div 3 = \boxed{2.31}$

3 $848 \div 4 = \boxed{212}$
$84.8 \div 4 = \boxed{21.2}$
$8.48 \div 4 = \boxed{2.12}$

4 $468 \div 2 = \boxed{234}$
$46.8 \div 2 = \boxed{23.4}$
$4.68 \div 2 = \boxed{2.34}$

5 $936 \div 3 = \boxed{312}$
$93.6 \div 3 = \boxed{31.2}$
$9.36 \div 3 = \boxed{3.12}$

[6~9] 계산해 보세요.

6
$$\begin{array}{r} 13.5 \\ 5)\overline{67.5} \\ 5 \\ \hline 17 \\ 15 \\ \hline 25 \\ 25 \\ \hline 0 \end{array}$$

7
$$7)\overline{86.8} \quad 12.4$$

8
$$\begin{array}{r} 14.3 \\ 4)\overline{57.2} \\ 4 \\ \hline 17 \\ 16 \\ \hline 12 \\ 12 \\ \hline 0 \end{array}$$

9
$$6)\overline{97.2} \quad 16.2$$

[10~13] 계산해 보세요.

10
$$\begin{array}{r} 0.94 \\ 8)\overline{7.52} \\ 72 \\ \hline 32 \\ 32 \\ \hline 0 \end{array}$$

11
$$\begin{array}{r} 0.69 \\ 3)\overline{2.07} \\ 18 \\ \hline 27 \\ 27 \\ \hline 0 \end{array}$$

12
$$\begin{array}{r} 0.73 \\ 7)\overline{5.11} \\ 49 \\ \hline 21 \\ 21 \\ \hline 0 \end{array}$$

13
$$\begin{array}{r} 0.87 \\ 5)\overline{4.35} \\ 40 \\ \hline 35 \\ 35 \\ \hline 0 \end{array}$$

[14~17] 계산해 보세요.

14
$$\begin{array}{r} 1.95 \\ 4)\overline{7.80} \\ 4 \\ \hline 38 \\ 36 \\ \hline 20 \\ 20 \\ \hline 0 \end{array}$$

15
$$2)\overline{5.3} \quad 2.65$$

16
$$\begin{array}{r} 1.35 \\ 6)\overline{8.10} \\ 6 \\ \hline 21 \\ 18 \\ \hline 30 \\ 30 \\ \hline 0 \end{array}$$

17
$$8)\overline{9.2} \quad 1.15$$

3 단원

교과서 개념 확인 문제

정답과 풀이 p.17

1 끈 2.64 m를 두 명이 똑같이 나누어 가지려고 합니다. 물음에 답하세요.

(1) 2.64 m는 몇 cm인지 구해 보세요.

(**264 cm**)

(2) 한 명이 가질 수 있는 끈은 몇 m인지 구해 보세요.

(**1.32 m**)

❖ (1) 1 m는 100 cm이므로 2.64 m는 264 cm입니다.

(2) 264÷2=132이고 1 m는 100 cm이므로 132 cm는 1.32 m입니다.

2 □ 안에 알맞은 수를 써넣으세요.

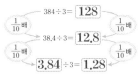

384÷3=**128**

38.4÷3=**12.8**

3.84÷3=**1.28**

$\frac{1}{10}$배

❖ 나누는 수가 같고 나누어지는 수가 $\frac{1}{10}$배가 되면 몫도 $\frac{1}{10}$배가 됩니다.

3 자연수의 나눗셈을 이용하여 □ 안에 알맞은 수를 써넣으세요.

(1) 732÷6=**122**   (2) 693÷3=**231**

73.2÷6=**12.2**   69.3÷3=**23.1**

7.32÷6=**1.22**   6.93÷3=**2.31**

❖ 나누어지는 수가 $\frac{1}{10}$배, $\frac{1}{100}$배가 되면 몫도 $\frac{1}{10}$배, $\frac{1}{100}$배가 됩니다.

4 소수의 나눗셈을 분수의 나눗셈으로 바꾸어 계산하려고 합니다. □ 안에 알맞은 수를 써넣으세요.

(1) $75.6 \div 4 = \frac{756}{10} \div 4 = \frac{756 \div 4}{10} = \frac{189}{10} = 18.9$

(2) $14.64 \div 3 = \frac{1464}{100} \div 3 = \frac{1464 \div 3}{100} = \frac{488}{100} = 4.88$

❖ (1) 소수 한 자리 수는 분모가 10인 분수로 바꾸어 계산합니다.

(2) 소수 두 자리 수는 분모가 100인 분수로 바꾸어 계산합니다.

5 □ 안에 알맞은 수를 써넣으세요.

(1)
```
        2 . 1 7
  7 ) 1 5 . 1 9
      1 4
      ----
      1 1
        7
      ----
        4 9
        4 9
      ----
          0
```

(2)
```
        8 . 4 2
  6 ) 5 0 . 5 2
      4 8
      ----
        2 5
        2 4
      ----
          1 2
          1 2
      ----
            0
```

6 684÷2를 이용하여 6.84÷2를 계산하려고 합니다. □ 안에 알맞은 수를 써넣으세요.

684÷2=**342**   6.84÷2=**3.42**

$\frac{1}{100}$배 $\frac{1}{100}$배

❖ 6.84는 684의 $\frac{1}{100}$배이므로 6.84÷2의 몫은 684÷2의 몫의 $\frac{1}{100}$배인 3.42가 됩니다.

교과서 개념 확인 문제

정답과 풀이 p.17

7 보기 와 같은 방법으로 계산해 보세요.

보기
$$1.4 \div 4 = \frac{140}{100} \div 4 = \frac{140 \div 4}{100} = \frac{35}{100} = 0.35$$

(1) $7.1 \div 5 = \frac{710}{100} \div 5 = \frac{710 \div 5}{100} = \frac{142}{100} = 1.42$

(2) $2.7 \div 6 = \frac{270}{100} \div 6 = \frac{270 \div 6}{100} = \frac{45}{100} = 0.45$

❖ (1) $\frac{71 \div 5}{10}$에서 71÷5가 자연수로 나누어떨어지지 않으므로 $\frac{710 \div 5}{100}$로 계산합니다.

8 계산해 보세요.

(1)
```
      9 . 2 4
  3 ) 2 7 . 7 2
```

(2)
```
      3 . 1 9
  6 ) 1 9 . 1 4
```

❖ (3)
```
        1 . 3 4
  8 ) 1 0 . 7 2
      8
      ----
      2 7
      2 4
      ----
        3 2
        3 2
      ----
          0
```

(4)
```
        1 . 1 3
  7 ) 7 . 9 1
      7
      ----
        9
        7
      ----
        2 1
        2 1
      ----
          0
```

(3) 10.72÷8=**1.34**   (4) 7.91÷7=**1.13**

9 몫의 크기를 비교하여 ○ 안에 >, =, <를 알맞게 써넣으세요.

6.8÷5 **>** 10.8÷8

❖ 6.8÷5=1.36, 10.8÷8=1.35

1.36 > 1.35이므로 6.8÷5 > 10.8÷8입니다.

10 잘못 계산한 부분을 찾아 바르게 계산해 보세요.

```
      4 . 2
  5 ) 2 . 1 0
      2 0
      ----
        1 0
        1 0
      ----
          0
```
→
```
      0 . 4 2
  5 ) 2 . 1 0
      2 0
      ----
        1 0
        1 0
      ----
          0
```

❖ 나누어지는 수가 나누는 수보다 작은 경우 자연수 부분에 0을 쓰고 소수점을 찍은 다음 자연수의 나눗셈과 같은 방법으로 계산합니다.

11 빈칸에 알맞은 수를 써넣으세요.

```
      3 . 4 4
  4 ) 1 3 . 7 6
      1 2
      ----
        1 7
        1 6
      ----
          1 6
          1 6
      ----
            0
```
13.76 →(÷4)→ **3.44** →(÷8)→ **0.43**

```
      0 . 4 3
  8 ) 3 . 4 4
      3 2
      ----
        2 4
        2 4
      ----
          0
```

12 진주네 학교에서는 둘레가 20.8 m인 정오각형 모양의 밭을 만들려고 합니다. 밭의 한 변의 길이를 몇 m로 해야 하는지 구해 보세요.

(**4.16 m**)

❖ 정오각형은 5개의 변의 길이가 모두 같습니다.

➔ 20.8÷5=4.16 (m)

교과서 개념 잡기

정답과 풀이 p.18

개념 5 몫의 소수 첫째 자리에 0이 있는 (소수)÷(자연수) 알아보기

◎ 6.21÷3을 계산하기

① 분수의 나눗셈으로 바꾸어 계산하기

$$6.21 \div 3 = \frac{621}{100} \div 3 = \frac{621 \div 3}{100}$$
$$= \frac{207}{100} = 2.07$$

② 621÷3을 이용하여 계산하기

$$621 \div 3 = 207 \rightarrow 6.21 \div 3 = 2.07$$
($\frac{1}{100}$배)

③ 세로로 계산하기

2÷3처럼 수를 하나 내렸음에도 나누어야 할 수가 나누는 수보다 작은 경우에는 몫에 0을 쓰고 수를 하나 더 내려 계산합니다.

◎ 5.4÷5를 계산하기

① 분수의 나눗셈으로 바꾸어 계산하기

$$5.4 \div 5 = \frac{540}{100} \div 5 = \frac{540 \div 5}{100}$$
$$= \frac{108}{100} = 1.08$$

② 540÷5를 이용하여 계산하기

$$540 \div 5 = 108 \rightarrow 5.4 \div 5 = 1.08$$
($\frac{1}{100}$배)

③ 세로로 계산하기

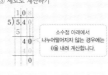

소수점 아래에서 나누어떨어지지 않는 경우에는 0을 내려 계산합니다.

개념 O X

◈ 맞으면 ○표, 틀리면 ×표 하세요.

나누어야 할 수가 나누는 수보다 작은 경우에는 몫에 0을 쓰고 수를 하나 더 내려 계산합니다. (○)

---

1 소수의 나눗셈을 분수의 나눗셈으로 바꾸어 계산하려고 합니다. □ 안에 알맞은 수를 써넣으세요.

$$8.72 \div 8 = \frac{872}{100} \div 8 = \frac{872 \div 8}{100} = \frac{109}{100} = 1.09$$

❖ 소수 두 자리 수는 분모가 100인 분수로 바꾸어 계산합니다.

2 자연수의 나눗셈을 이용하여 □ 안에 알맞은 수를 써넣으세요.

(1) 610÷2=305 ➡ 6.1÷2= 3.05

(2) 820÷4=205 ➡ 8.2÷4= 2.05

3 □ 안에 알맞은 수를 써넣으세요.

(1)

(2)

❖ 수를 하나 내렸음에도 나누어야 할 수가 나누는 수보다 작은 경우에는 몫에 0을 쓰고 수를 하나 더 내려 계산합니다.

4 나머지가 0이 될 때까지 계산해 보세요.

(1) 9.05, 6)54.30, 54, 30, 30, 0

(2) 7.06, 5)35.30, 35, 30, 30, 0

교과서 개념 잡기

정답과 풀이 p.18

개념 6 (자연수)÷(자연수)의 몫을 소수로 나타내기

◎ 3÷4를 계산하기

① 분수로 바꾸어 계산하기

$$3 \div 4 = \frac{3}{4} = \frac{3 \times 25}{4 \times 25} = \frac{75}{100} = 0.75$$

② 300÷4를 이용하여 계산하기

$$300 \div 4 = 75 \rightarrow 3 \div 4 = 0.75$$
($\frac{1}{100}$배)

③ 세로로 계산하기

3은 3.00과 같습니다. 몫의 소수점은 자연수 바로 뒤에서 올려서 찍고 더 이상 계산할 수 없을 때까지 내림을 하고, 내릴 수가 없는 경우 0을 내려 계산합니다.

개념 7 몫의 소수점 위치를 확인해 보기

◎ 어림셈하여 23.8÷4의 몫의 소수점 위치 확인하기

23.8은 소수 첫째 자리에서 반올림하면 24이므로 23.8을 24로 어림하여 계산합니다.

23.8÷4 → 24÷4 → 약 6

따라서 23.8÷4의 몫은 59.5와 5.95 중 5.95입니다.

◎ 어림셈하여 73.8÷6의 몫의 소수점 위치 확인하기

72÷6은 쉽게 나누어떨어지므로 73.8을 72로 어림하여 계산합니다.

73.8÷6 → 72÷6 = 12

나누어지는 수 73.8은 72보다 크므로 73.8÷6의 몫은 12보다 커야 합니다.

따라서 73.8÷6의 몫은 1.23과 12.3 중 12.3입니다.

개념 O X

◈ 5÷4의 몫을 소수로 바르게 나타낸 사람에게 ○표 하세요.

( ) (○)

---

1 자연수의 나눗셈을 분수로 바꾸어 몫을 소수로 나타내려고 합니다. □ 안에 알맞은 수를 써넣으세요.

(1) $9 \div 2 = \frac{9}{2} = \frac{45}{10} = 4.5$

(2) $7 \div 4 = \frac{7}{4} = \frac{175}{100} = 1.75$

❖ (1) 몫을 분수로 나타낸 다음 분모가 10인 분수로 바꾸어 나타냅니다.
(2) 몫을 분수로 나타낸 다음 분모가 100인 분수로 바꾸어 나타냅니다.

2 자연수의 나눗셈을 이용하여 □ 안에 알맞은 수를 써넣으세요.

(1) 80÷5=16 ➡ 8÷5= 1.6

(2) 600÷8=75 ➡ 6÷8= 0.75

3 19.14÷3을 어림하여 계산했습니다. 몫의 소수점 위치를 찾아 소수점을 찍어 보세요.

어림 19÷3 → 약 6   6.3 8

❖ 19.14를 19로 어림하여 계산한 것입니다.

4 어림을 이용하여 6.72÷7의 몫에 소수점의 위치를 바르게 찍은 것을 찾으려고 합니다. 물음에 답하세요.

(1) 나누어지는 수를 소수 첫째 자리에서 반올림하여 어림한 수로 나타내어 보세요.

6.72÷7 → 7 ÷7

(2) (1)의 어림한 수로 나눗셈의 몫을 구하여 6.72÷7의 몫을 어림해 보세요.

7 ÷7= 1 이므로 6.72÷7의 몫은 1 보다 작습니다.

(3) (2)의 어림한 식을 이용하여 몫을 바르게 나타낸 식에 ○표 하세요.

6.72÷7=9.6	6.72÷7=0.96
( )	(○)

❖ (1) 6.72를 소수 첫째 자리에서 반올림하면 7입니다.
(2) 6.72는 7보다 작으므로 6.72÷7의 몫은 1보다 작습니다.
(3) 6.72÷7의 몫은 1보다 작은 수이므로 0.96입니다.

교과서 개념 ^{play} 벌레 잡기

나눗셈의 몫이 써 있는 붙임딱지를 붙여 벌레를 잡아 보세요.

집중! 드릴 문제

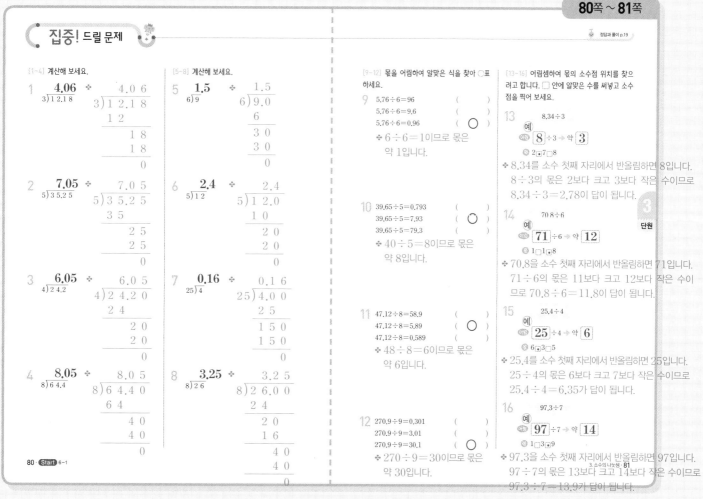

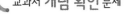
교과서 개념 확인 문제

정답과 풀이 p.20

1 □ 안에 알맞은 수를 써넣으세요.

(1)
```
    2.0 9
3)6.2 7
    6
    2 7
    2 7
      0
```

(2)
```
    3.0 8
7)2 1.5 6
  2 1
      5 6
      5 6
        0
```

✧ 수를 하나 내렸음에도 나누어야 할 수가 나누는 수보다 작은 경우에는 몫에 0을 쓰고 수를 하나 더 내려 계산합니다.

2 소수의 나눗셈을 분수의 나눗셈으로 바꾸어 계산해 보세요.

(1) $18.3 \div 6 = \dfrac{1830}{100} \div 6 = \dfrac{1830 \div 6}{100} = \dfrac{305}{100} = 3.05$

(2) $4.32 \div 4 = \dfrac{432}{100} \div 4 = \dfrac{432 \div 4}{100} = \dfrac{108}{100} = 1.08$

3 □ 안에 알맞은 수를 써넣으세요.

(1) $700 \div 4 = \boxed{175}$ ➡ $7 \div 4 = \boxed{1.75}$

(2) $140 \div 5 = \boxed{28}$ ➡ $14 \div 5 = \boxed{2.8}$

4 몫을 어림하여 몫이 1보다 큰 나눗셈을 찾아 기호를 써 보세요.

| ㉠ $6.65 \div 7$ | ㉡ $5.4 \div 4$ |

(㉡)

82 · Start 6-1　✧ 나누어지는 수가 나누는 수보다 크면 몫이 1보다 크고, 나누어지는 수가 나누는 수보다 작으면 몫이 1보다 작습니다.

5 빈칸에 알맞은 수를 써넣으세요.

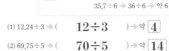

	14	10	1.4
	5	4	1.25
	2.8	2.5	

✧ $14 \div 10 = 1.4$, $5 \div 4 = 1.25$,
$14 \div 5 = 2.8$, $10 \div 4 = 2.5$

6 소수를 자연수로 나눈 몫을 구해 보세요.

| 8　　48.4 |

(6.05)

✧ $48.4 \div 8 = 6.05$

7 보기 와 같이 소수를 반올림하여 일의 자리까지 나타내어 어림한 식으로 표현하고, 몫을 어림해 보세요.

보기 $35.7 \div 6$ ➡ $36 \div 6$ ➡ 약 6

(1) $12.24 \div 3$ ($12 \div 3$) ➡ 약 $\boxed{4}$

(2) $69.75 \div 5$ ($70 \div 5$) ➡ 약 $\boxed{14}$

✧ (1) 12.24를 소수 첫째 자리에서 반올림하면 12입니다. ➡ $12 \div 3 = 4$
(2) 69.75를 소수 첫째 자리에서 반올림하면 70입니다. ➡ $70 \div 5 = 14$

3. 소수의 나눗셈 · 83

84쪽 ~ 85쪽

교과서 개념 확인 문제

정답과 풀이 p.20

8 $8.12 \div 4$를 어림하여 계산하면 $8 \div 4 = 2$입니다. $8.12 \div 4$의 몫의 소수점 위치를 찾아 소수점을 찍어 보세요.

$$8.12 \div 4 = 2\,\blacksquare\,0\,\square\,3$$

✧ $8.12 \div 4$의 몫은 2에 가까우므로 몫은 2.03입니다.

9 몫의 소수 첫째 자리 숫자가 0인 나눗셈을 찾아 기호를 써 보세요.

| ㉠ $11 \div 4$ | ㉡ $16 \div 20$ |
| ㉢ $42.3 \div 6$ | ㉣ $2.52 \div 7$ |

(㉢)

✧ ㉠ $11 \div 4 = 2.75$ 　　㉡ $16 \div 20 = 0.8$
㉢ $42.3 \div 6 = 7.05$ 　　㉣ $2.52 \div 7 = 0.36$

10 관계있는 것끼리 선으로 이어 보세요.

$15 \div 12$		3.8
$19 \div 5$		1.25
$13 \div 4$		3.25

✧ $15 \div 12 = 1.25$, $19 \div 5 = 3.8$, $13 \div 4 = 3.25$

11 과일 가게에서 무게가 똑같은 멜론을 4개 사 왔습니다. 사 온 멜론의 총 무게가 6 kg이라면 멜론 한 개의 무게는 몇 kg인지 소수로 나타내어 보세요.

(1.5 kg)

✧ $6 \div 4 = 1.5$ (kg)

84 · Start 6-1

12 가장 큰 수를 가장 작은 수로 나눈 몫을 구해 보세요.

| 20.3　　14.6　　5 |

(4.06)

✧ 가장 큰 수: 20.3, 가장 작은 수: 5
➡ $20.3 \div 5 = 4.06$

13 몫을 어림하여 알맞은 식을 찾아 기호를 써 보세요.

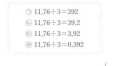

| ㉠ $11.76 \div 3 = 392$ |
| ㉡ $11.76 \div 3 = 39.2$ |
| ㉢ $11.76 \div 3 = 3.92$ |
| ㉣ $11.76 \div 3 = 0.392$ |

(㉢)

✧ $11.76 \div 3$은 $12 \div 3$을 이용하여 어림하면 몫은 3보다 크고 4보다 작습니다. 따라서 $11.76 \div 3 = 3.92$입니다.

14 평행사변형의 넓이가 96.6 cm²이고 밑변의 길이가 12 cm일 때 높이는 몇 cm인지 구해 보세요.

넓이: 96.6 cm²　□ cm
12 cm

(8.05 cm)

✧ $96.6 \div 12 = 8.05$ (cm)

15 수 카드 4장 중 2장을 골라 한 번씩만 사용하여 몫이 가장 큰 나눗셈을 만들고 계산하여 몫을 소수로 나타내어 보세요.

| 8 | 7 | 9 | 5 |

식 $9 \div 5$

답 1.8

✧ 나누어지는 수가 클수록, 나누는 수가 작을수록 나눗셈의 몫은 커집니다.
➡ $9 \div 5 = 1.8$

3. 소수의 나눗셈 · 85

 **개념 확인평가**   3. 소수의 나눗셈   맞은 개수

정답과 풀이 p.21

1 846÷2를 이용하여 8.46÷2를 계산하는 방법을 설명한 것입니다. □ 안에 알맞은 수를 써넣으세요.

> 8.46은 846의 $\frac{1}{100}$배이므로 8.46÷2의 몫은 846÷2의 몫의 $\boxed{\frac{1}{100}}$배입니다.
>
> 846÷2=423이므로 8.46÷2의 몫은 423의 $\frac{1}{100}$배인 $\boxed{4.23}$입니다.

✧ 나누어지는 수가 $\frac{1}{100}$배가 되면 몫도 $\frac{1}{100}$배가 되므로 몫의 소수점이 왼쪽으로 두 칸 이동합니다.

2 바르게 계산한 것을 찾아 기호를 써 보세요.

> ㉠ $47.2÷8=\frac{472}{100}÷8=\frac{472÷8}{100}=\frac{59}{100}=0.59$
>
> ㉡ $60.3÷9=\frac{603}{10}÷9=\frac{603÷9}{10}=\frac{67}{10}=6.7$

✧ ㉠ 47.2÷8은 $\frac{472}{10}$로 나타내어야 합니다. (**㉡**)

$$47.2÷8=\frac{472}{10}÷8=\frac{472÷8}{10}=\frac{59}{10}=5.9$$

3 몫의 소수점을 잘못 찍은 것은 어느 것일까요?·········(**⑤**)

① 81÷3=27 ➡ 8.1÷3=2.7   ② 625÷5=125 ➡ 62.5÷5=12.5
③ 96÷6=16 ➡ 0.96÷6=0.16   ④ 832÷4=208 ➡ 8.32÷4=2.08
⑤ 238÷7=34 ➡ 23.8÷7=0.34

✧ 나누어지는 수가 $\frac{1}{10}$배, $\frac{1}{100}$배가 되면 몫도 $\frac{1}{10}$배, $\frac{1}{100}$배가 됩니다.

4 보기와 같이 소수를 반올림하여 일의 자리까지 나타내어 어림한 식으로 표현해 보세요.

> 보기
> $24.8÷5 ➡ 25÷5$

(1) 18.4÷4 ➡ (**18÷4**)
(2) 5.16÷6 ➡ (**5÷6**)

✧ (1) 18.4를 반올림하여 일의 자리까지 나타내면 18입니다.
   (2) 5.16을 반올림하여 일의 자리까지 나타내면 5입니다.

---

5 몫이 1보다 작은 나눗셈을 찾아 기호를 써 보세요.

> ㉠ 5.7÷5   ㉡ 6.92÷4   ㉢ 3.02÷2   ㉣ 7.4÷8

(**㉣**)

✧ 나누어지는 수가 나누는 수보다 작으면 몫이 1보다 작습니다.
   ㉠ 5.7>5   ㉡ 6.92>4
   ㉢ 3.02>2   ㉣ 7.4<8

6 계산 결과를 비교하여 ○ 안에 >, =, <를 알맞게 써넣으세요.

(1) 3.4÷4 $\boxed{>}$ 3.8÷5   (2) 9.21÷3 $\boxed{<}$ 21.63÷7

✧ (1) 3.4÷4=0.85, 3.8÷5=0.76 ➡ 0.85>0.76
   (2) 9.21÷3=3.07, 21.63÷7=3.09 ➡ 3.07<3.09

7 빈칸에 알맞은 수를 써넣으세요.

$$75.6 \xrightarrow{÷3} \boxed{25.2} \xrightarrow{÷8} \boxed{3.15}$$

✧ 75.6÷3=25.2, 25.2÷8=3.15

8 □ 안에 들어갈 수 있는 가장 큰 자연수를 구해 보세요.

$$76÷8>\boxed{}$$

✧ 76÷8=9.5이므로 □ 안에 들어갈 수 (**9**)
있는 자연수는 1부터 9까지입니다.
따라서 □ 안에 들어갈 수 있는 가장 큰 자연수는 9입니다.

개념 확인평가   3. 소수의 나눗셈   정답과 풀이 p.21

9 오른쪽 정삼각형의 한 변의 길이는 몇 cm인지 구해 보세요.

둘레: 16.8 cm

(**5.6 cm**)

✧ (정삼각형의 한 변의 길이)=16.8÷3=5.6(cm)

10 길이가 53.2 m인 길의 한쪽에 처음부터 끝까지 같은 간격으로 나무 8그루를 심으려고 합니다. 나무 사이의 간격은 몇 m로 해야 하는지 구해 보세요. (단, 나무의 굵기는 생각하지 않습니다.)

53.2 m

(**7.6 m**)

✧ (간격의 수)=8−1=7(군데)이므로 53.2 m를 7등분 해야 합니다.
➡ (나무 사이의 간격)=53.2÷7=7.6(m)

11 모든 모서리의 길이가 같은 사각뿔이 있습니다. 모든 모서리의 길이의 합이 2.72 m일 때 한 모서리의 길이는 몇 m인지 구해 보세요.

(**0.34 m**)

✧ (사각뿔의 모서리의 수)=4×2=8(개)
➡ (한 모서리의 길이)=2.72÷8=0.34(m)

12 수 카드 4 , 6 , 8 중 2장을 골라 가장 큰 소수 한 자리 수를 만들고 이 수를 남은 수 카드의 수로 나누었을 때의 몫은 얼마인지 구해 보세요.

(**2.15**)

✧ 만들 수 있는 가장 큰 소수 한 자리 수는 8.6입니다.
➡ 8.6÷4=2.15

[GO! 매쓰]
여기까지 3단원 내용입니다.
다음부터는 4단원 내용이
시작합니다.

교과서 개념 잡기

정답과 풀이 p.22

개념 1 두 수를 비교하기

남학생 6명, 여학생 3명으로 한 모둠을 구성하려고 합니다.

· 남학생 수와 여학생 수를 비교하기

뺄셈으로 비교 → 6−3=3	나눗셈으로 비교 → 6÷3=2
남학생은 여학생보다 3명 더 많습니다.	남학생 수는 여학생 수의 2배입니다.

· 모둠 수에 따른 남학생 수와 여학생 수를 비교하기

모둠 수	1	2	3	4	5	……
남학생 수(명)	6	12	18	24	30	……
여학생 수(명)	3	6	9	12	15	……

뺄셈으로 비교	나눗셈으로 비교
→ 6−3=3, 12−6=6, 18−9=9 ……	→ 6÷3=2, 12÷6=2, 18÷9=2 ……
모둠 수에 따라 남학생은 여학생보다 각각 3명, 6명, 9명… 더 많습니다.	남학생 수는 항상 여학생 수의 2배입니다.

개념 2 비를 알아보기

두 수를 나눗셈으로 비교하기 위해 기호 :을 사용하여 나타낸 것을 비라고 합니다.

3과 2를 비교 → 3 : 2 →
- 3 대 2
- 3과 2의 비
- 3의 2에 대한 비
- 2에 대한 3의 비

기호 :의 오른쪽에 있는 수가 기준이에요.

개념 O X

비를 바르게 읽은 것에 ◯표 하세요.

1 : 2 → [1의 2에 대한 비 ◯] [2의 1에 대한 비]

90 · Start 6-1

---

1 귤 수와 사과 수를 뺄셈으로 비교하려고 합니다. ☐ 안에 알맞은 수를 써넣으세요.

(귤 수)−(사과 수)=6−[2]=[4]

→ 귤은 사과보다 [4]개 더 많습니다.

2 여학생 4명, 남학생 2명으로 한 모둠을 구성하려고 합니다. 표를 완성하고 ☐ 안에 알맞은 수를 써넣으세요.

모둠 수	1	2	3	4	5	……
여학생 수(명)	4	8	12	16	20	……
남학생 수(명)	2	4	6	8	10	……

(여학생 수)÷(남학생 수)를 계산하면 4÷2=[2], 8÷4=[2]……입니다.

→ 여학생 수는 남학생 수의 [2]배입니다.

3 그림을 보고 ☐ 안에 알맞은 수를 써넣으세요.

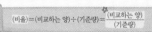

도넛 수와 삼각김밥 수의 비 → [6] : [5]

✦ 도넛 수와 삼각김밥 수의 비 → (도넛 수) : (삼각김밥 수)=6 : 5

4 비가 다른 하나에 △표 하세요.

8 대 3	8의 3에 대한 비	8에 대한 3의 비
( )	( )	(△)

✦ 8 대 3, 8의 3에 대한 비 → 8 : 3
8에 대한 3의 비 → 3 : 8

4. 비와 비율 · 91

교과서 개념 잡기

정답과 풀이 p.22

개념 3 비율을 알아보기

비 1 : 2에서 기호 :의 오른쪽에 있는 2는 기준량이고, 왼쪽에 있는 1은 비교하는 양입니다.

기준량에 대한 비교하는 양의 크기를 비율이라고 합니다.

$$(비율)=(비교하는 양)÷(기준량)=\frac{(비교하는 양)}{(기준량)}$$

비 1 : 2를 비율로 나타내면 $\frac{1}{2}$ 또는 0.5입니다.

$\frac{1}{2}=1÷2=0.5$

개념 4 비율이 사용되는 경우를 알아보기

· 걸린 시간에 대한 간 거리의 비율

→ (간 거리) : (걸린 시간) → 비교하는 양: 간 거리 / 기준량: 걸린 시간 → $(비율)=\frac{(간 거리)}{(걸린 시간)}$

· 넓이에 대한 인구의 비율

→ (인구) : (넓이) → 비교하는 양: 인구 / 기준량: 넓이 → $(비율)=\frac{(인구)}{(넓이)}$

· 흰색 물감 양에 대한 검은색 물감 양의 비율

→ (검은색 물감 양) : (흰색 물감 양) → 비교하는 양: 검은색 물감 양 / 기준량: 흰색 물감 양

→ $(비율)=\frac{(검은색 물감 양)}{(흰색 물감 양)}$

개념 O X

비율을 바르게 나타낸 사람에게 ◯표 하세요.

 ■에 대한 ▲의 비율

 ■ : ▲이므로 $\frac{■}{▲}$입니다.

▲ : ■이므로 $\frac{■}{▲}$입니다.

92 · Start 6-1

---

1 알맞은 말에 ◯표 하세요.

비 2 : 3에서 2는 (비교하는 양, 기준량)이고, 3은 (비교하는 양, 기준량)입니다.

✦ 비 2 : 3에서 기호 :의 왼쪽에 있는 2는 비교하는 양이고, 오른쪽에 있는 3은 기준량입니다.

2 ☐ 안에 알맞은 수를 써넣으세요.

(1) 비 3 : 5를 비율로 나타내면 $\frac{3}{5}$입니다.

(2) 비 7 : 10을 비율로 나타내면 $\frac{7}{10}$ 또는 0.7입니다.

✦ (1) 3 : 5 → $\frac{3}{5}$　(2) 7 : 10 → $\frac{7}{10}$=0.7

3 현서가 KTX를 타고 A에서 B까지 가는 데 걸린 시간에 대한 간 거리의 비율을 구하려고 합니다. ☐ 안에 알맞은 수를 써넣으세요.

KTX를 타고 2시간 동안 A에서 B까지 405 km를 갔어요.

→ $(비율)=\frac{(간 거리)}{(걸린 시간)}=\frac{405}{2}$

4 민준이네 마을의 인구는 8400명이고 넓이는 7 km²입니다. 마을의 넓이에 대한 인구의 비율을 구하려고 합니다. ☐ 안에 알맞은 수를 써넣으세요.

$(비율)=\frac{(인구)}{(넓이)}=\frac{8400}{7}=1200$

4. 비와 비율 · 93

교과서 개념 play · 드론이 배달하는 상자 찾기

각 드론에는 배달하는 상자에 담긴 오렌지 수에 대한 토마토 수의 비가 적혀 있습니다.
드론에 알맞은 상자를 붙이고, 착륙하는 지점에 토마토 수와 오렌지 수의 비율을 써 보세요.

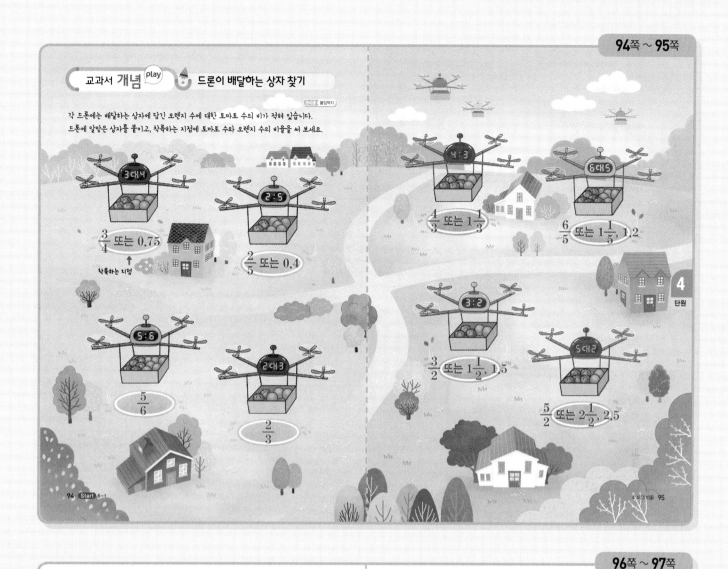

집중! 드릴 문제

정답과 풀이 p.23

[1~3] 표를 완성하고 □ 안에 알맞은 수를 써넣으세요.

1 남학생 6명, 여학생 2명으로 한 모둠을 구성하려고 합니다.

모둠 수	1	2	3	……
남학생 수(명)	6	12	18	……
여학생 수(명)	2	4	**6**	……

→ 남학생 수는 여학생 수의 **3** 배입니다.

❖ $6 : 2 = 3, 12 \div 4 = 3,$
$18 \div 6 = 3$

2 자두 8개, 귤 4개로 한 봉지를 만들려고 합니다.

봉지 수	1	2	3	……
자두 수(개)	8	16	24	……
귤 수(개)	4	8	**12**	……

→ 자두 수는 귤 수의 **2** 배입니다.

❖ $8 \div 4 = 2, 16 \div 8 = 2,$
$24 \div 12 = 2$

3 사탕 10개, 껌 5개로 한 상자를 만들려고 합니다.

상자 수	1	2	3	……
사탕 수(개)	10	20	30	……
껌 수(개)	5	**10**	**15**	……

→ 사탕 수는 껌 수의 **2** 배입니다.

❖ $10 \div 5 = 2, 20 \div 10 = 2$
$30 \div 15 = 2$

[4~6] 그림을 보고 □ 안에 알맞은 수를 써넣으세요.

4

· 모자 수에 대한 장갑 수의 비
→ **2** : **5**

· 장갑 수에 대한 모자 수의 비
→ **5** : **2**

5

· 막대 사탕 수에 대한 초콜릿 수의 비
→ **4** : **3**

· 초콜릿 수에 대한 막대 사탕 수의 비
→ **3** : **4**

6

· 딸기 수에 대한 자두 수의 비
→ **5** : **7**

· 자두 수에 대한 딸기 수의 비
→ **7** : **5**

[7~10] □ 안에 알맞은 수를 써넣으세요.

7 2 : 5

→ **2** 대 **5**
→ **2** 의 **5** 에 대한 비
→ **5** 에 대한 **2** 의 비

8 5 : 4

→ **5** 대 **4**
→ **5** 의 **4** 에 대한 비
→ **4** 에 대한 **5** 의 비

9 7 : 8

→ **7** 과 **8** 의 비
→ **7** 의 **8** 에 대한 비
→ **8** 에 대한 **7** 의 비

10 13 : 10

→ **13** 과 **10** 의 비
→ **13** 의 **10** 에 대한 비
→ **10** 에 대한 **13** 의 비

[11~15] 비교하는 양과 기준량을 찾아 쓰고 비율을 분수로 구해 보세요.

11 4 : 5

비교하는 양	기준량	비율
4	5	$\dfrac{4}{5}$

12 2 대 7 ❖ 2 : 7

비교하는 양	기준량	비율
2	7	$\dfrac{2}{7}$

13 3과 8의 비 ❖ 3 : 8

비교하는 양	기준량	비율
3	8	$\dfrac{3}{8}$

14 5의 9에 대한 비 ❖ 5 : 9

비교하는 양	기준량	비율
5	9	$\dfrac{5}{9}$

15 11에 대한 6의 비 ❖ 6 : 11

비교하는 양	기준량	비율
6	11	$\dfrac{6}{11}$

교과서 **개념 확인 문제**

정답과 풀이 p.24

1 □ 안에 알맞은 수를 써넣으세요.

(1) 7 대 9 → $\boxed{7}$: $\boxed{9}$

(2) 5에 대한 3의 비 → $\boxed{3}$: $\boxed{5}$

(3) 6과 2의 비 → $\boxed{6}$: $\boxed{2}$

(4) 11의 8에 대한 비 → $\boxed{11}$: $\boxed{8}$

❖ ■ 대 ▲
■와 ▲의 비
■의 ▲에 대한 비
▲에 대한 ■의 비
→ ■ : ▲

2 주머니 수와 사탕 수를 비교하려고 합니다. □ 안에 알맞은 수를 써넣고 알맞은 말에 ○표 하세요.

주머니 수(개)	1	2	3	4	5	······
사탕 수(개)	4	8	12	16	20	······

→ 사탕 수는 항상 주머니 수의 $\boxed{4}$ 배입니다.

나눗셈으로 비교한 경우에 주머니 수와 사탕 수 사이의 관계는

(변합니다, (변하지 않습니다)).

❖ 4÷1=4, 8÷2=4, 12÷3=4, 16÷4=4, 20÷5=4

3 그림을 보고 □ 안에 알맞은 수를 써넣으세요.

→ 오이 수와 토마토 수의 비는 $\boxed{3}$: $\boxed{5}$ 입니다.

❖ (오이 수) : (토마토 수)=3 : 5

4 전체에 대한 색칠한 부분의 비를 써 보세요.

(1)

(2)

→ $\boxed{5}$: $\boxed{12}$ → $\boxed{3}$: $\boxed{8}$

❖ (색칠한 칸수) : (전체 칸수)

(1) 전체 12칸, 색칠한 부분 5칸   (2) 전체 8칸, 색칠한 부분 3칸

5 그림을 보고 알맞은 비를 써 보세요.

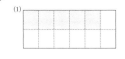

▲ 출처 ©Gena73, shutterstock

(1) 햄버거 수에 대한 콜라 수의 비

(5 : 3)

(2) 콜라 수의 햄버거 수에 대한 비

(5 : 3)

❖ (1) (콜라 수) : (햄버거 수)=5 : 3

(2) (콜라 수) : (햄버거 수)=5 : 3

6 표를 완성해 보세요.

비	비교하는 양	기준량	비율
8 : 4	8	4	$\frac{8}{4}(=2)$
11 : 13	11	13	$\frac{11}{13}$

❖ 8 : 4 → $\frac{8}{4}$=2, 11 : 13 → $\frac{11}{13}$

4
단원

교과서 **개념 확인 문제**

정답과 풀이 p.24

7 직사각형 모양 액자가 2개 있습니다. 물음에 답하세요.

가 18 cm 12 cm   나 27 cm 18 cm

(1) 두 액자의 세로에 대한 가로의 비율을 각각 분수로 나타내어 보세요.

가 ($\frac{18}{12}(=\frac{3}{2})$), 나 ($\frac{27}{18}(=\frac{3}{2})$)

(2) 두 액자의 세로에 대한 가로의 비율은 같습니까? 다릅니까?

(같습니다.)

❖ (1) $\frac{(가로)}{(세로)}$

(2) 두 액자의 세로에 대한 가로의 비율은 같습니다.

8 지영이는 100 m를 달리는 데 20초가 걸렸습니다. 지영이가 100 m를 달리는 데 걸린 시간에 대한 달린 거리의 비율을 구해 보세요.

($\frac{100}{20}(=5)$)

❖ $\frac{(달린 거리)}{(걸린 시간)}=\frac{100}{20}=5$

9 흰색 물감 300 mL에 검은색 물감 6 mL를 섞어 회색을 만들었습니다. 만든 회색 물감에서 흰색 물감 양에 대한 검은색 물감 양의 비율을 구해 보세요.

($\frac{6}{300}(=\frac{1}{50}=0.02)$)

❖ $\frac{(검은색 물감 양)}{(흰색 물감 양)}=\frac{6}{300}=\frac{1}{50}=0.02$

10 비를 보고 비율을 분수와 소수로 각각 나타내어 보세요.

15 : 20

분수 ($\frac{15}{20}(=\frac{3}{4})$)
소수 (0.75)

11 비율이 더 큰 것에 ○표 하세요.

25에 대한 10의 비   6과 10의 비

( )   (○)

$\frac{10}{25}=\frac{2}{5}=0.4$ $\frac{6}{10}=0.6$

12 표를 보고 물음에 답하세요.

마을	준호네 마을	가은이네 마을
인구(명)	21700	36144
넓이(km²)	7	9

(1) 준호네 마을의 넓이에 대한 인구의 비율을 자연수로 구해 보세요.

$\frac{(인구)}{(넓이)}$ (3100)

(2) 가은이네 마을의 넓이에 대한 인구의 비율을 자연수로 구해 보세요.

(4016)

❖ 준호: $\frac{21700}{7}$=3100, 가은: $\frac{36144}{9}$=4016

13 예지와 강호의 대화를 읽고 물음에 답하세요.

7 : 5는 5 : 7과 같아. 예지

응, 비에서 기준을 찾아 비교해 보면…… 강호

(1) 예지가 비에 대해 이야기한 것이 맞으면 ○표, 틀리면 ×표 하세요.

(×)

(2) 강호의 말을 읽고 (1)에서 ○표 또는 ×표 한 이유를 써 보세요.

예 7 : 5는 기준이 5이지만 5 : 7은 기준이 7이기 때문입니다.

4
단원

교과서 개념 잡기

개념 5 백분율을 알아보기

기준량을 100으로 할 때의 비율을 백분율이라고 합니다.
백분율은 기호 %를 사용하여 나타냅니다.
비율 $\frac{75}{100}$ 를 75 %라 쓰고 75퍼센트라고 읽습니다.

 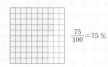

$\frac{1}{100}=1$ % $\frac{75}{100}=75$ %

• 비율을 백분율로 나타내기

방법1 기준량이 100인 비율($\frac{\square}{100}$)로 나타내어 백분율(■ %)로 나타냅니다.

분수를 백분율로 나타내기	소수를 백분율로 나타내기
$\frac{12}{25}=\frac{48}{100} \rightarrow 48$ %	$0.53 \rightarrow 0.53=\frac{53}{100} \rightarrow 53$ %

방법2 비율에 100을 곱해서 나온 값에 기호 %를 붙입니다.

분수를 백분율로 나타내기	소수를 백분율로 나타내기
$\frac{12}{25}=\frac{12}{25}\times100=48$ (%)	$0.53=0.53\times100=53$ (%)

개념 ○ X

✎ 비율을 백분율로 바르게 나타낸 사람에게 ○표 하세요.

0.1 →
  0.1=$\frac{1}{10}$이므로 1 %이에요.
 0.1=$\frac{10}{100}$이므로 10 %이에요.

102 · Start 6-1

정답과 풀이 p.25

1 □ 안에 알맞게 써넣으세요.

(1) 기준량을 **100** (으)로 할 때의 비율을 백분율이라고 합니다.

(2) 백분율은 기호 **%** 을/를 사용하여 나타냅니다.

2 그림을 보고 전체에 대한 색칠한 부분의 비율을 백분율로 나타내어 보세요.

(1) **8** %   (2) **56** %

❖ (1) $\frac{8}{100} \rightarrow 8$ %   (2) $\frac{56}{100} \rightarrow 56$ %

3 비율을 백분율로 나타내려고 합니다. □ 안에 알맞은 수를 써넣으세요.

(1) $\frac{9}{20}$ (2) 0.38

방법1 $\frac{9}{20}=\frac{45}{100} \rightarrow$ **45** %   방법1 $0.38=\frac{38}{100} \rightarrow$ **38** %

방법2 $\frac{9}{20}\times100=$ **45** (%)   방법2 $0.38\times$ **100** $=$ **38** (%)

4 비율을 백분율로 나타내어 보세요.

(1) $\frac{7}{50}$ (**14** %)

(2) 0.61   (**61** %)

백분율로 나타낼 때 기호 %를 붙여야 해요.

❖ (1) $\frac{7}{50}\times100=14$ (%)   (2) $0.61\times100=61$ (%)

4. 비와 비율 · 103

교과서 개념 잡기

개념 6 백분율이 사용되는 경우를 알아보기

• 할인율: 원래 가격에 대한 할인 금액의 비율

원래 가격: 2000원
할인된 판매 가격: 1800원

(할인 금액)=(원래 가격)-(할인된 판매 가격)
=2000-1800=200(원)

→ (할인율)=$\frac{(할인 금액)}{(원래 가격)}\times100$
=$\frac{200}{2000}\times100=10$ (%)

• 득표율: 전체 투표수에 대한 해당 후보의 득표수의 비율

투표에 참여한 500명 중에서 내 득표수는 150표이에요.

→ (득표율)=$\frac{(득표수)}{(전체 투표수)}\times100$
=$\frac{150}{500}\times100=30$ (%)

• 소금물의 진하기: 소금물 양에 대한 소금 양의 비율

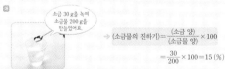
소금 30 g을 녹여 소금물 200 g을 만들었어요.

→ (소금물의 진하기)=$\frac{(소금 양)}{(소금물 양)}\times100$
=$\frac{30}{200}\times100=15$ (%)

개념 ○ X

✎ 사탕의 할인율을 바르게 구한 사람에게 ○표 하세요.

500원짜리 사탕을 할인하여 400원에 팝니다. →
 사탕의 할인율은 $\frac{400}{500}\times100=80$ (%) 입니다.
 할인 금액은 500-400=100(원) 이므로 사탕의 할인율은 $\frac{100}{500}\times100=20$ (%) 입니다.

104 · Start 6-1

정답과 풀이 p.25

[1~2] 제과점에서 마감 시간이 다 되어 남은 빵을 할인하여 팔고 있습니다. 물음에 답하세요.

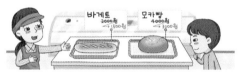

1 바게트의 할인율을 구하려고 합니다. □ 안에 알맞은 수를 써넣으세요.

(할인 금액)=2000- **1500** = **500** (원)

→ (할인율)=$\frac{500}{2000}\times100=$ **25** (%)

2 모카빵의 할인율을 구하려고 합니다. □ 안에 알맞은 수를 써넣으세요.

(할인 금액)=4000- **3000** = **1000** (원)

→ (할인율)=$\frac{1000}{4000}\times100=$ **25** (%)

3 전교 학생 회장 선거 투표에 500명이 참여했고, 가 후보의 득표수는 200표입니다. 가 후보의 득표율을 구하려고 합니다. □ 안에 알맞은 수를 써넣으세요.

(득표율)=$\frac{200}{500}\times100=$ **40** (%)

4 과학 시간에 재희는 소금 60 g을 녹여 소금물 300 g을 만들었습니다. 소금물의 진하기를 구하려고 합니다. □ 안에 알맞은 수를 써넣으세요.

(소금물의 진하기)=$\frac{60}{300}\times100=$ **20** (%)

4. 비와 비율 · 105

정답과 풀이 · **25**

교과서 개념 play 🍦 아이스크림 짝 찾기

한쪽은 분수나 소수, 다른 쪽은 백분율로 되어 있는 아이스크림이 있습니다.
양쪽의 비율이 같도록 알맞게 짝을 지어 아이스크림을 붙여 보세요.

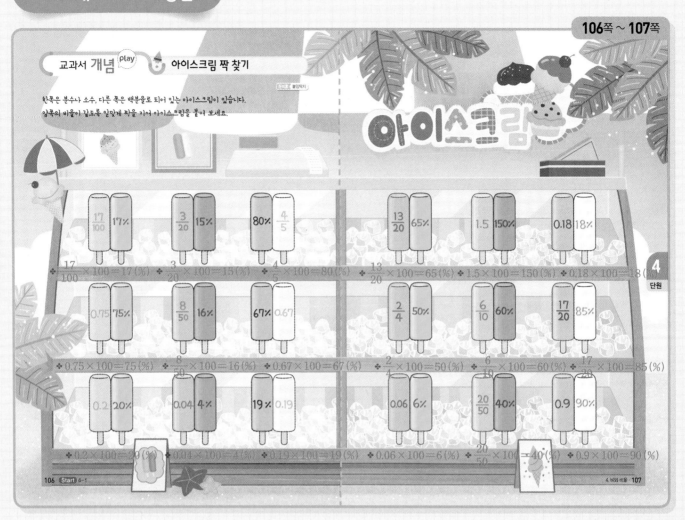

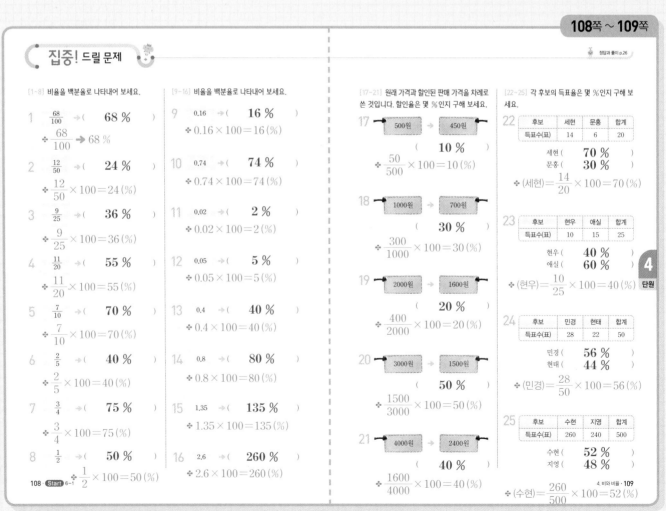

교과서 개념 확인 문제

정답과 풀이 p.27

1 비율이 다른 하나를 찾아 기호를 써 보세요.

ㄱ $\frac{25}{100}$　　ㄴ　　　ㄷ 0.25　　ㄹ 25 %

(**ㄴ**)

✿ ㄴ $\frac{35}{100}=0.35$ ➡ 35 %

2 보기 와 같은 방법으로 비율을 백분율로 나타내어 보세요.

> 보기
> $\frac{2}{5}=\frac{2\times20}{5\times20}=\frac{40}{100}$ ➡ 40 %

$\frac{3}{4}=\dfrac{3\times25}{4\times25}=\dfrac{75}{100}$ ➡ **75 %**

3 ☐ 안에 알맞은 수를 써넣으세요.

비율 $\frac{1}{2}$ 을 소수로 나타내면 **0.5** 이고, 이것을 백분율로 나타내면 **50** %입니다.

✿ $\frac{1}{2}=\frac{5}{10}=0.5$ ➡ $0.5\times100=50\,(\%)$

4 비율을 백분율로 나타내어 보세요.

(1) 0.47 ➡ (**47 %**)　　(2) $\frac{13}{25}$ ➡ (**52 %**)

(3) 0.7 ➡ (**70 %**)　　(4) $\frac{1}{4}$ ➡ (**25 %**)

✿ (1) $0.47\times100=47\,(\%)$　　(2) $\frac{13}{25}\times100=52\,(\%)$

(3) $0.7\times100=70\,(\%)$　　(4) $\frac{1}{4}\times100=25\,(\%)$

5 그림을 보고 전체에 대한 색칠한 부분의 비율은 몇 %인지 구해 보세요.

(1)　　　　　　　　　(2)

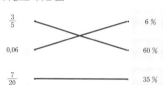

(**50 %**)　　(**30 %**)

✿ (1) $\frac{25}{50}\times100=50\,(\%)$　　(2) $\frac{3}{10}\times100=30\,(\%)$

6 비율이 같은 것끼리 선으로 이어 보세요.

$\frac{3}{5}$　　　　　　6 %

0.06　　　　　60 %

$\frac{7}{20}$　　　　　35 %

✿ $\frac{3}{5}\times100=60\,(\%)$, $0.06\times100=6\,(\%)$,

$\frac{7}{20}\times100=35\,(\%)$

7 비를 보고 비율을 백분율로 나타내어 보세요.

(1) 10 : 50 ➡ (**20 %**)

(2) 6 : 20 ➡ (**30 %**)

비율을 분수나 소수로 나타낸 다음 백분율로 나타내면 돼요.

✿ (1) $\frac{10}{50}\times100=20\,(\%)$　　(2) $\frac{6}{20}\times100=30\,(\%)$

4 단원

교과서 개념 확인 문제

정답과 풀이 p.27

8 현장 학습을 경주로 가는 것에 대한 찬성과 반대 수를 조사하였습니다. 찬성률을 백분율로 나타내어 보세요.

반 전체 학생 수(명)	찬성하는 학생 수(명)
25	16

(**64 %**)

✿ $\frac{16}{25}\times100=64\,(\%)$

9 비율이 가장 작은 것을 찾아 기호를 써 보세요.

ㄱ 0.6　　ㄴ 55 %　　ㄷ $\frac{3}{4}$

(**ㄴ**)

✿ ㄱ $0.6\times100=60\,(\%)$　　ㄷ $\frac{3}{4}\times100=75\,(\%)$

10 어느 가게에서 판매하는 복숭아와 사과의 가격을 나타낸 표를 보고 두 과일의 할인율을 비교하려고 합니다. 물음에 답하세요.

과일	복숭아	사과
원래 가격(원)	800	1000
할인된 판매 가격(원)	640	750

(1) 복숭아와 사과의 할인 금액은 각각 얼마일까요?

✿ • (복숭아)=800−640=160(원)　복숭아 (**160원**)
　• (사과)=1000−750=250(원)　사과 (**250원**)

(2) 복숭아와 사과의 할인율은 각각 몇 %일까요?

✿ • (복숭아)= $\frac{160}{800}\times100=20\,(\%)$　복숭아 (**20 %**)
　　　　　　　　　　　　　　　　　사과 (**25 %**)

(3) 할인율이 더 높은 과일을 써 보세요.

• (사과)= $\frac{250}{1000}\times100=25\,(\%)$　(**사과**)

11 공장에서 인형 500개를 만들면 불량품 15개가 나온다고 합니다. 전체 인형 수에 대한 불량품 수의 비율을 백분율로 나타내어 보세요.

(**3 %**)

✿ $\frac{15}{500}\times100=3\,(\%)$

12 설탕물 양에 대한 설탕 양의 비율을 알아보려고 합니다. 물음에 답하세요.

설탕 30 g을 물 170 g에 녹여 설탕물을 만들었습니다.

(1) 설탕물 양은 몇 g일까요?

(**200 g**)

(2) 설탕 양은 몇 g일까요?

(**30 g**)

(3) 설탕물 양에 대한 설탕 양의 비율은 몇 %일까요?

(**15 %**)

✿ (1) $30+170=200\,(g)$

(3) $\frac{30}{200}\times100=15\,(\%)$

13 25000원짜리 피자를 주문하고 다음 할인권을 이용하여 피자값으로 20000원을 냈습니다. 할인권의 ☐ 안에 알맞은 수를 써넣으세요.

할인권
피자
20 % 할인

✿ 25000−20000=5000(원)이므로 5000원을 할인받은 것입니다.

➡ (할인율)= $\frac{5000}{25000}\times100=20\,(\%)$

4 단원

개념 확인평가
4. 비와 비율

맞은 개수

정답과 풀이 p.28

[1-2] 그림을 보고 비행기 수와 배 수를 비교하려고 합니다. 물음에 답하세요.

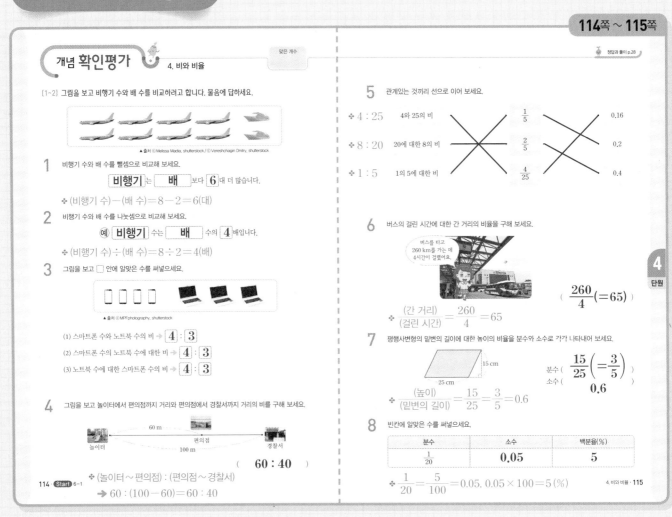

▲ 출처 ⓒMelissa Media, shutterstock / ⓒVereshchagin Dmitry, shutterstock

1 비행기 수와 배 수를 뺄셈으로 비교해 보세요.

| 비행기 |는| 배 |보다| 6 |대 더 많습니다.

❖ (비행기 수) ─ (배 수) = 8 ─ 2 = 6(대)

2 비행기 수와 배 수를 나눗셈으로 비교해 보세요.

예| 비행기 |수는| 배 |수의| 4 |배입니다.

❖ (비행기 수) ÷ (배 수) = 8 ÷ 2 = 4(배)

3 그림을 보고 □ 안에 알맞은 수를 써넣으세요.

▲ 출처 ⓒMPF photography, shutterstock

(1) 스마트폰 수와 노트북 수의 비 ➡ 4 : 3

(2) 스마트폰 수의 노트북 수에 대한 비 ➡ 4 : 3

(3) 노트북 수에 대한 스마트폰 수의 비 ➡ 4 : 3

4 그림을 보고 놀이터에서 편의점까지 거리와 편의점에서 경찰서까지 거리의 비를 구해 보세요.

놀이터 ─ 60 m ─ 편의점 ─ 100 m ─ 경찰서

(**60 : 40**)

❖ (놀이터 ~ 편의점) : (편의점 ~ 경찰서)
➡ 60 : (100 ─ 60) = 60 : 40

114 · Start 6-1

5 관계있는 것끼리 선으로 이어 보세요.

❖ 4 : 25   4와 25의 비 $\frac{1}{5}$ 0.16

❖ 8 : 20   20에 대한 8의 비 $\frac{2}{5}$ 0.2

❖ 1 : 5   1의 5에 대한 비 $\frac{4}{25}$ 0.4

6 버스의 걸린 시간에 대한 간 거리의 비율을 구해 보세요.

버스를 타고 260 km를 가는 데 4시간이 걸렸어요.

($\frac{260}{4}(=65)$)

❖ $\frac{(간\ 거리)}{(걸린\ 시간)} = \frac{260}{4} = 65$

7 평행사변형의 밑변의 길이에 대한 높이의 비율을 분수와 소수로 각가 나타내어 보세요.

15 cm
25 cm

분수 ($\frac{15}{25}\left(=\frac{3}{5}\right)$)
소수 (**0.6**)

❖ $\frac{(높이)}{(밑변의\ 길이)} = \frac{15}{25} = \frac{3}{5} = 0.6$

8 빈칸에 알맞은 수를 써넣으세요.

분수	소수	백분율(%)
$\frac{1}{20}$	**0.05**	**5**

❖ $\frac{1}{20} = \frac{5}{100} = 0.05$, $0.05 \times 100 = 5$ (%)

4. 비와 비율 · 115

개념 확인평가
4. 비와 비율

정답과 풀이 p.28

9 그림을 보고 전체에 대한 색칠한 부분의 비율을 백분율로 나타내어 보세요.

(1)

(**25 %**)

(2)

(**75 %**)

❖ (1) $\frac{1}{4} \times 100 = 25$ (%)   (2) $\frac{9}{12} \times 100 = 75$ (%)

10 현서의 골 성공률은 몇 %일까요?

축구 연습을 하는 데 공을 20번 차서 골대에 15번 넣었어요.

(**75 %**)

❖ $\frac{15}{20} \times 100 = 75$ (%)

11 전교 학생 회장 선거의 투표 결과입니다. A 후보의 득표율은 몇 %일까요?

후보	A	B	무효표
득표수(표)	165	105	30

(**55 %**)

❖ (전체 투표수) = 165 + 105 + 30 = 300(표)

➡ (A 후보의 득표율) = $\frac{165}{300} \times 100 = 55$ (%)

12 가장 진한 소금물에 ○표 하세요.

▼ 출처 ⓒPixMarket, shutterstock

소금 40 g을 녹여 만든 소금물 200 g	소금 36 g을 녹여 만든 소금물 150 g	소금 80 g을 녹여 만든 소금물 500 g
( )	(○)	( )

116 · Start 6-1   ❖ $\frac{40}{200} \times 100 = 20$ (%), $\frac{36}{150} \times 100 = 24$ (%),

$\frac{80}{500} \times 100 = 16$ (%)

[GO! 매쓰]
여기까지 4단원 내용입니다.
다음부터는 5단원 내용이
시작합니다.

교과서 개념 잡기

정답과 풀이 p.29

개념① 그림그래프로 나타내기

우리나라 권역별 화훼 재배 농가 수를 그림그래프로 나타내고 알 수 있는 사실 알아보기

권역별 화훼 재배 농가 수

권역	농가 수(호)	어림값(호)	권역	농가 수(호)	어림값(호)
서울·인천·경기	2506	2500	강원	146	100
대전·세종·충청	875	900	대구·부산·울산·경상	1694	1700
광주·전라	2025	2000	제주	175	200

(출처: 국가 통계 포털, 2017)

권역별 화훼 재배 농가 수

〈그림그래프를 보고 알 수 있는 내용〉

- 🌸 은 1000호, ❀ 은 100호를 나타냅니다.
- 화훼 재배 농가 수가 가장 많은 권역은 서울·인천·경기입니다.
- 화훼 재배 농가 수가 가장 적은 권역은 강원입니다.
- 광주·전라의 화훼 재배 농가 수는 제주의 화훼 재배 농가 수의 10배입니다. → 2000 ÷ 200 = 10(배)
- 권역별로 화훼 재배 농가 수가 많이 차이 납니다.

자료를 그림그래프로 나타내면 좋은 점
- 어느 항목이 많고 적은지를 한눈에 알 수 있습니다.
- 그림의 크기로 많고 적음을 알 수 있습니다.
- 그림그래프는 복잡한 자료를 간단하게 보여 줍니다.

개념 O X

그림그래프에 대하여 바르게 설명한 사람에게 ○표 하세요.

그림의 모양으로 많고 적음을 알 수 있습니다.

그림의 크기로 많고 적음을 알 수 있습니다. ○

[1~4] 우리나라 권역별 초등학교 수를 조사한 표입니다. 물음에 답하세요.

권역별 초등학교 수

권역	학교 수(개)	어림값(개)	권역	학교 수(개)	어림값(개)
서울·인천·경기	2113	2100	강원	351	400
대전·세종·충청	862	900	대구·부산·울산·경상	1623	1600
광주·전라	1002	1000	제주	113	100

(출처: 초등학교 개황, 국가 통계 포털, 2018)

1 초등학교 수를 반올림하여 백의 자리까지 나타내어 표의 빈칸을 채워 보세요.

❖ 광주·전라: 1002 ➡ 1000, 강원: 351 ➡ 400

2 표를 보고 그림그래프를 그릴 때 그림을 몇 가지로 나타내는 것이 좋은지 써 보세요.

(예 **2가지**)

❖ 1000개를 나타내는 그림과 100개를 나타내는 것이 좋을 것 같습니다.

3 표를 보고 그림그래프를 완성해 보세요.

권역별 초등학교 수

❖ 광주·전라: 1000개 ➡ 1000개를 나타내는 그림을 1개 그립니다.
강원: 400개 ➡ 100개를 나타내는 그림을 4개 그립니다.

4 초등학교가 가장 많은 권역을 찾아 써 보세요.

(**서울·인천·경기**)

❖ 1000개를 나타내는 그림이 가장 많은 서울·인천·경기입니다.

5 단원

교과서 개념 잡기

정답과 풀이 p.29

개념② 띠그래프 알아보기

- 띠그래프: 전체에 대한 각 부분의 비율을 띠 모양에 나타낸 그래프

책의 종류별 권수

종류	역사	과학	언어	문학	기타	합계
권수(권)	14	12	10	9	5	50
백분율(%)	28	24	20	18	10	100

역사: 14/50 × 100 = 28(%)
과학: 12/50 × 100 = 24(%)
언어: 10/50 × 100 = 20(%)
문학: 9/50 × 100 = 18(%)
기타: 5/50 × 100 = 10(%)
합계의 합은 28+24+20+18+10=100(%)

책의 종류별 권수

| 역사(28%) | 과학(24%) | 언어(20%) | 문학(18%) | 기타(10%) |

〈띠그래프를 보고 알 수 있는 내용〉
- 역사책이 가장 많습니다.
- 과학책의 백분율은 언어책의 백분율의 1.2배입니다.
- 기타를 제외하면 문학책의 백분율이 가장 적습니다.
➡ 각 항목끼리의 백분율을 쉽게 비교할 수 있습니다.

띠그래프의 특징
- 띠그래프에 표시된 눈금은 백분율을 나타냅니다.
- 띠그래프의 작은 눈금 한 칸은 1 %를 나타냅니다.

개념③ 띠그래프로 나타내기

- 띠그래프로 나타내는 방법
① 자료를 보고 각 항목의 백분율을 구합니다.
② 각 항목의 백분율의 합계가 100 %가 되는지 확인합니다.
③ 각 항목이 차지하는 백분율의 크기만큼 선을 그어 띠를 나눕니다.
④ 나눈 부분에 각 항목의 내용과 백분율을 씁니다.
⑤ 띠그래프의 제목을 씁니다.

개념 O X

맞으면 ○표, 틀리면 ×표 하세요.

띠그래프는 각 항목끼리의 백분율을 쉽게 비교할 수 있습니다. ○

[1~2] 지선이네 학교 학생들이 좋아하는 간식을 조사하여 나타낸 띠그래프입니다. 물음에 답하세요.

좋아하는 간식별 학생 수

| 0 | 10 | 20 | 30 | 40 | 50 | 60 | 70 | 80 | 90 | 100(%) |

| 햄버거(35%) | 떡볶이(30%) | 튀김(16%) | 피자(14%) |
순대(5%) ┘

1 가장 많은 학생이 좋아하는 간식과 가장 적은 학생이 좋아하는 간식을 찾아 차례로 써 보세요.

(**햄버거**), (**순대**)

❖ 띠그래프에서 길이가 가장 긴 부분을 찾으면 햄버거이고 길이가 가장 짧은 부분을 찾으면 순대입니다.

2 전체 학생 수에 대한 떡볶이를 좋아하는 학생 수의 백분율은 몇 %인지 구해 보세요.

(**30 %**)

❖ 떡볶이를 좋아하는 학생은 30 %입니다.

[3~4] 민준이네 학교 학생들이 놀러 가고 싶은 장소를 조사하여 나타낸 표입니다. 물음에 답하세요.

놀러 가고 싶은 장소별 학생 수

장소	놀이공원	동물원	산	바다	기타	합계
학생 수(명)	60	50	40	30	20	200
백분율(%)	30	25	20	15	10	100

3 전체 학생 수에 대한 놀러 가고 싶은 장소별 학생 수의 백분율을 구해 보세요.

- 놀이공원: 60/200 × 100 = **30** (%)   · 동물원: 50/200 × 100 = **25** (%)

❖ 백분율: (놀러 가고 싶은 장소별 학생 수) / (전체 학생 수) × 100

4 위 3에서 구한 백분율을 이용하여 띠그래프를 완성해 보세요.

놀러 가고 싶은 장소별 학생 수

| 0 | 10 | 20 | 30 | 40 | 50 | 60 | 70 | 80 | 90 | 100(%) |

| 놀이공원(**30**%) | 동물원(**25**%) | 산(20%) | 바다(15%) | 기타(10%) |

❖ 각 항목이 차지하는 백분율의 크기만큼 선을 그어 띠를 나누고 나눈 부분에 각 항목의 내용과 백분율을 씁니다.

5 단원

교과서 개념 play 띠그래프 완성하기

각 항목과 백분율이 써 있는 붙임딱지를 붙여 띠그래프를 완성해 보세요.

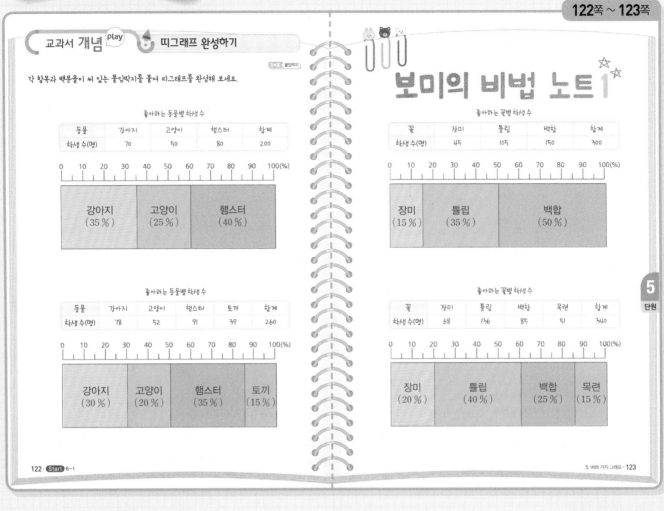

좋아하는 동물별 학생 수

동물	강아지	고양이	햄스터	합계
학생 수(명)	70	50	80	200

강아지 (35 %) / 고양이 (25 %) / 햄스터 (40 %)

좋아하는 동물별 학생 수

동물	강아지	고양이	햄스터	토끼	합계
학생 수(명)	78	52	91	39	260

강아지 (30 %) / 고양이 (20 %) / 햄스터 (35 %) / 토끼 (15 %)

보미의 비법 노트 1

좋아하는 꽃별 학생 수

꽃	장미	튤립	백합	합계
학생 수(명)	45	105	150	300

장미 (15 %) / 튤립 (35 %) / 백합 (50 %)

좋아하는 꽃별 학생 수

꽃	장미	튤립	백합	목련	합계
학생 수(명)	68	136	85	51	340

장미 (20 %) / 튤립 (40 %) / 백합 (25 %) / 목련 (15 %)

집중! 드릴 문제

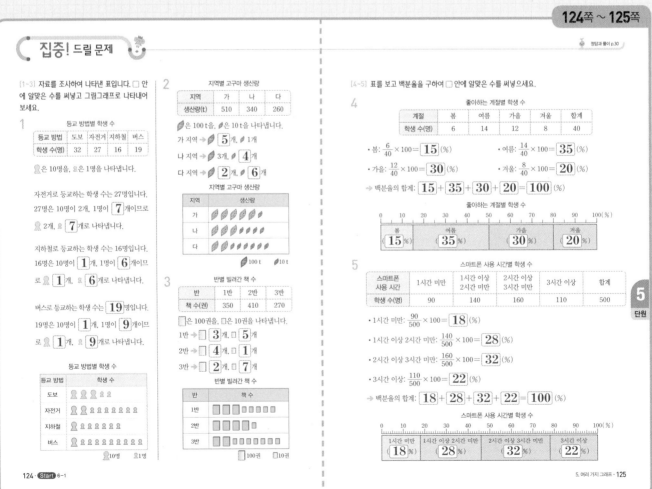

[1-3] 자료를 조사하여 나타낸 표입니다. □ 안에 알맞은 수를 써넣고 그림그래프로 나타내어 보세요.

1. 등교 방법별 학생 수

등교 방법	도보	자전거	지하철	버스
학생 수(명)	32	27	16	19

은 10명을, 은 1명을 나타냅니다.

자전거로 등교하는 학생 수는 27명입니다.
27명은 10명이 2개, 1명이 **7** 개이므로
2개, **7** 개로 나타냅니다.

지하철로 등교하는 학생 수는 16명입니다.
16명은 10명이 **1** 개, 1명이 **6** 개이므로 **1** 개, **6** 개로 나타냅니다.

버스로 등교하는 학생 수는 **19** 명입니다.
19명은 10명이 **1** 개, 1명이 **9** 개이므로 **1** 개, **9** 개로 나타냅니다.

등교 방법별 학생 수

등교 방법	학생 수
도보	
자전거	
지하철	
버스	

10명 1명

2. 지역별 고구마 생산량

지역	가	나	다
생산량(t)	510	340	260

은 100 t을, 은 10 t을 나타냅니다.
가 지역 → **5** 개, **1** 개
나 지역 → 3개, **4** 개
다 지역 → **2** 개, **6** 개

지역별 고구마 생산량

지역	생산량
가	
나	
다	

100 t 10 t

3. 반별 빌려간 책 수

반	1반	2반	3반
책 수(권)	350	410	270

은 100권을, 은 10권을 나타냅니다.
1반 → **3** 개, **5** 개
2반 → **4** 개, **1** 개
3반 → **2** 개, **7** 개

반별 빌려간 책 수

반	책 수
1반	
2반	
3반	

100권 10권

정답과 풀이 p.30

[4-5] 표를 보고 백분율을 구하여 □ 안에 알맞은 수를 써넣으세요.

4. 좋아하는 계절별 학생 수

계절	봄	여름	가을	겨울	합계
학생 수(명)	6	14	12	8	40

- 봄: $\frac{6}{40} \times 100 =$ **15** (%)
- 여름: $\frac{14}{40} \times 100 =$ **35** (%)
- 가을: $\frac{12}{40} \times 100 =$ **30** (%)
- 겨울: $\frac{8}{40} \times 100 =$ **20** (%)

→ 백분율의 합계: **15** + **35** + **30** + **20** = **100** (%)

좋아하는 계절별 학생 수

봄 **15** % / 여름 **35** % / 가을 **30** % / 겨울 **20** %

5. 스마트폰 사용 시간별 학생 수

스마트폰 사용 시간	1시간 미만	1시간 이상 2시간 미만	2시간 이상 3시간 미만	3시간 이상	합계
학생 수(명)	90	140	160	110	500

- 1시간 미만: $\frac{90}{500} \times 100 =$ **18** (%)
- 1시간 이상 2시간 미만: $\frac{140}{500} \times 100 =$ **28** (%)
- 2시간 이상 3시간 미만: $\frac{160}{500} \times 100 =$ **32** (%)
- 3시간 이상: $\frac{110}{500} \times 100 =$ **22** (%)

→ 백분율의 합계: **18** + **28** + **32** + **22** = **100** (%)

스마트폰 사용 시간별 학생 수

1시간 미만 **18** % / 1시간 이상 2시간 미만 **28** % / 2시간 이상 3시간 미만 **32** % / 3시간 이상 **22** %

교과서 개념 확인 문제

정답과 풀이 p.31

1 용빈이네 학교 학생들이 좋아하는 과목을 조사하여 나타낸 표와 띠그래프입니다. 물음에 답하세요.

좋아하는 과목별 학생 수

과목	국어	수학	사회	과학	합계
학생 수(명)	60	70	20	50	200

좋아하는 과목별 학생 수

0 10 20 30 40 50 60 70 80 90 100(%)
국어 (30 %) / 수학 (35 %) / 사회 (10 %) / 과학 (25 %)

(1) 조사한 학생은 모두 몇 명인지 구해 보세요.

(**200명**)

✢ 표의 합계에서 보면 조사한 학생은 모두 200명입니다.

(2) 표와 띠그래프 중에서 전체에 대한 각 부분의 비율을 한눈에 알아보기 쉬운 것은 무엇일까요?

(**띠그래프**)

✢ 전체에 대한 각 부분의 비율을 한눈에 알아보기 쉬운 것은 띠그래프입니다.

(3) 가장 많은 학생이 좋아하는 과목은 무엇이고 이 과목은 전체의 몇 %인지 차례로 써 보세요.

(**수학**), (**35 %**)

✢ 띠그래프에서 길이가 가장 긴 부분을 찾으면 수학이고 35 %입니다.

(4) 국어를 좋아하는 학생 수는 사회를 좋아하는 학생 수의 몇 배인지 구해 보세요.

(**3배**)

✢ 국어는 30 %, 사회는 10 %이므로 30÷10=3(배)입니다.

(5) 좋아하는 학생 수가 많은 과목부터 차례로 써 보세요.

(**수학, 국어, 과학, 사회**)

✢ 띠의 길이가 긴 순서대로 씁니다.

2 마을별 사과 생산량을 조사하여 나타낸 그림그래프입니다. 물음에 답하세요.

마을별 사과 생산량

마을	사과 생산량
사랑 마을	
달님 마을	
햇빛 마을	
행복 마을	

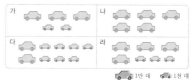 100 kg   10 kg

(1) 사과 생산량이 가장 많은 마을을 찾아 써 보세요.

(**햇빛 마을**)

✢ 100 kg을 나타내는 그림이 가장 많은 햇빛 마을입니다.

(2) 달님 마을의 사과 생산량은 몇 kg인지 구해 보세요.

(**250 kg**)

✢ 100 kg을 나타내는 그림이 2개, 10 kg을 나타내는 그림이 5개이므로 250 kg입니다.

3 도시별 자동차 수를 조사하여 나타낸 표입니다. 표를 보고 그림그래프로 나타내어 보세요.

도시별 자동차 수

도시	가	나	다	라
자동차 수(대)	32000	50000	27000	43000

가	나
다	라

1만 대   1천 대

✢ 가: 32000대 ➡ 1만 대를 나타낸 그림을 3개, 1천 대를 나타내는 그림을 2개 그립니다.

나: 50000대 ➡ 1만 대를 나타낸 그림을 5개 그립니다.

다: 27000대 ➡ 1만 대를 나타낸 그림을 2개, 1천 대를 나타내는 그림을 7개 그립니다.

라: 43000대 ➡ 1만 대를 나타낸 그림을 4개, 1천 대를 나타내는 그림을 3개 그립니다.

5 단원

교과서 개념 확인 문제

정답과 풀이 p.31

4 영진이네 반 학생들의 혈액형을 조사하여 나타낸 표입니다. 물음에 답하세요.

혈액형별 학생 수

혈액형	A형	B형	O형	AB형	합계
학생 수(명)	10	6	16	8	40
백분율(%)	25				

(1) 전체 학생 수에 대한 혈액형별 학생 수의 백분율을 구해 보세요.

· A형: $\frac{10}{40} \times 100 = 25$ (%) · B형: $\frac{6}{40} \times 100 = $ **15** (%)

· O형: $\frac{16}{40} \times 100 = $ **40** (%) · AB형: $\frac{8}{40} \times$ **100** $=$ **20** (%)

✢ 전체 학생 수를 분모로 하고 각 혈액형별 학생 수를 분자로 하여 비율을 구한 후 100을 곱하여 백분율을 구합니다.

(2) 각 항목의 백분율을 구하여 모두 더하면 얼마인지 □ 안에 알맞은 수를 써넣으세요.

25+ **15** + **40** + **20** = **100** (%)

✢ 각 항목의 백분율을 모두 더하면 100 %가 되어야 합니다.

(3) 백분율을 보고 띠그래프를 완성해 보세요.

혈액형별 학생 수

0 10 20 30 40 50 60 70 80 90 100(%)
A형 (25 %) / B형 (15 %) / O형 (40 %) / AB형 (20 %)

✢ 각 항목들이 차지하는 백분율만큼 선을 그어 띠를 나누고, 나눈 부분에 각 항목의 내용과 백분율을 씁니다.

(4) 가장 많은 학생의 혈액형은 무엇인지 찾아 써 보세요.

(**O형**)

✢ 띠그래프에서 길이가 가장 긴 부분을 찾으면 O형입니다.

(5) 가장 적은 학생의 혈액형은 무엇인지 찾아 써 보세요.

(**B형**)

✢ 띠그래프에서 길이가 가장 짧은 부분을 찾으면 B형입니다.

5 정우네 학교 학생들이 좋아하는 과일을 조사하여 나타낸 표입니다. 물음에 답하세요.

좋아하는 과일별 학생 수

과일	사과	배	귤	기타	합계
학생 수(명)	150	45	30	75	300
백분율(%)	50	**15**	**10**	**25**	**100**

(1) 전체 학생 수에 대한 과일별 학생 수의 백분율을 구하여 표를 완성해 보세요.

✢ 배: $\frac{45}{300} \times 100 = 15$ (%), 귤: $\frac{30}{300} \times 100 = 10$ (%), 기타: $\frac{75}{300} \times 100 = 25$ (%)

(2) 표를 보고 띠그래프로 나타내어 보세요.

좋아하는 과일별 학생 수

0 10 20 30 40 50 60 70 80 90 100(%)
사과 (50 %) / 배 (15 %) / 귤 (10 %) / 기타 (25 %)

✢ 띠그래프에서 작은 눈금 한 칸은 5 %입니다.

➡ 사과: 50÷5=10(칸), 배: 15÷5=3(칸), 귤: 10÷5=2(칸), 기타: 25÷5=5(칸)

6 가은이네 학교 학생들이 좋아하는 동물을 조사하여 나타낸 띠그래프입니다. 물음에 답하세요.

좋아하는 동물별 학생 수

0 10 20 30 40 50 60 70 80 90 100(%)
강아지 / 고양이 / 토끼 / 햄스터 / 기타

(1) 전체 학생 수에 대한 고양이를 좋아하는 학생 수의 백분율은 몇 %인지 구해 보세요.

(**20 %**)

✢ 한 칸이 5 %인데 고양이는 4칸이므로 5×4=20 (%)입니다.

(2) 가장 많은 학생이 좋아하는 동물의 학생 수는 토끼를 좋아하는 학생 수의 몇 배인지 구해 보세요.

(**4배**)

✢ 가장 많은 학생이 좋아하는 동물은 강아지로 40 %이고 토끼는 10 %이므로 40÷10=4(배)입니다.

(3) 토끼를 좋아하는 학생 수가 20명이라면 고양이를 좋아하는 학생 수는 몇 명인지 구해 보세요.

(**40명**)

✢ 고양이는 20 %이고 토끼 10 %의 20÷10=2(배)이므로 20×2=40(명)입니다.

5 단원

교과서 개념 잡기

정답과 풀이 p.32

개념 4 원그래프 알아보기

• 원그래프: 전체에 대한 각 부분의 비율을 원 모양에 나타낸 그래프

취미별 학생 수

취미	게임	운동	음악	독서	기타	합계
학생 수(명)	12	10	8	6	4	40
백분율(%)	30	25	20	15	10	100

$\frac{12}{40} \times 100 = 30(\%)$
$\frac{10}{40} \times 100 = 25(\%)$
$\frac{8}{40} \times 100 = 20(\%)$
$\frac{6}{40} \times 100 = 15(\%)$
$\frac{4}{40} \times 100 = 10(\%)$

취미별 학생 수

〈원그래프를 보고 알 수 있는 내용〉
• 게임이 취미인 학생이 가장 많습니다.
• 게임의 백분율은 독서의 백분율의 2배입니다.
• 기타를 제외하면 독서의 백분율이 가장 적습니다.
➡ 각 항목끼리의 백분율을 쉽게 비교할 수 있습니다.

개념 5 원그래프로 나타내기

• 원그래프로 나타내는 방법
① 자료를 보고 각 항목의 백분율을 구합니다.
② 각 항목의 백분율의 합계가 100 %가 되는지 확인합니다.
③ 각 항목들이 차지하는 백분율의 크기만큼 선을 그어 원을 나눕니다.
④ 나눈 부분에 각 항목의 내용과 백분율을 씁니다.
⑤ 원그래프의 제목을 씁니다.

개념 O X

맞으면 ○표, 틀리면 ×표 하세요.

각 항목의 백분율의 합계 = 100 %가 되어야 합니다. (○)

[1~2] 윤호네 학교 학생들이 배우고 있는 악기를 조사하여 나타낸 원그래프입니다. 물음에 답하세요.

악기별 학생 수

1. 가장 많은 학생이 배우고 있는 악기와 가장 적은 학생이 배우고 있는 악기를 찾아 차례로 써 보세요.

✤ 원그래프에서 넓이가 가장 (**피아노**). (**첼로**)
넓은 부분을 찾으면 피아노이고 넓이가 가장 작은 부분을 찾으면 첼로입니다.

2. 전체 학생 수에 대한 플루트를 배우고 있는 학생 수의 백분율은 몇 %인지 구해 보세요. (**20 %**)

✤ 플루트를 배우고 있는 학생은 20 %입니다.

[3~4] 수정이네 학교 학생들이 좋아하는 운동을 조사하여 나타낸 표입니다. 물음에 답하세요.

좋아하는 운동별 학생 수

운동	야구	축구	농구	피구	기타	합계
학생 수(명)	60	90	75	45	30	300
백분율(%)	20		15		10	100

3. 전체 학생 수에 대한 좋아하는 운동별 학생 수의 백분율을 구해 보세요.

• 축구: $\frac{90}{300} \times 100 = \boxed{30}$ (%)   • 농구: $\frac{75}{300} \times 100 = \boxed{25}$ (%)

4. 위 3에서 구한 백분율을 이용하여 원그래프를 완성해 보세요.

좋아하는 운동별 학생 수

5 단원

교과서 개념 잡기

정답과 풀이 p.32

개념 6 그래프 해석해 보기

• 띠그래프 해석하기

연령별 인구 구성비의 변화

	14세 이하	15~64세	65세 이상
1990년	25.6 %	69.3 %	5.1 %
2000년	21.1 %	71.7 %	7.2 %
2010년	16.2 %	72.8 %	11 %

〈띠그래프를 보고 알 수 있는 내용〉
• 14세 이하의 인구 비율은 점점 감소하고 있습니다.
• 15~64세, 65세 이상의 인구 비율은 점점 증가하고 있습니다.

• 원그래프 해석하기

좋아하는 말별 학생 수

〈원그래프를 보고 알 수 있는 내용〉
• 좋아하는 말 중 10 % 이상의 비율을 차지하는 말은 사랑해, 잘했어입니다.
• 좋아하는 말 중 사랑해 또는 잘했어를 선택한 학생 수는 전체의 76.6 %입니다.
• 좋아하는 말 중 고마워와 행복해의 비율은 같습니다.

개념 7 여러 가지 그래프 비교해 보기

그림그래프	그림의 크기와 수로 수량의 많고 적음을 쉽게 알 수 있습니다.
띠그래프, 원그래프	전체에 대한 각 부분의 비율을 한눈에 알아보기 쉽습니다.
막대그래프	수량의 많고 적음을 한눈에 비교하기 쉽습니다.
꺾은선그래프	수량의 변하는 모습과 변하는 정도를 쉽게 알 수 있습니다.

개념 O X

맞으면 ○표, 틀리면 ×표 하세요.

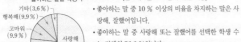
시간에 따른 항목의 크기 변화를 알아볼 때에는 꺾은선그래프가 편리합니다. (○)

[1~3] 2017년부터 2019년까지 어느 회사의 제품별 판매량을 조사하여 각각 띠그래프로 나타내었습니다. 띠그래프를 보고 알 수 있는 내용이면 ○표, 알 수 없는 내용이면 ×표 하세요.

제품별 판매량

	A제품	B제품	C제품
2017년	14 %	63 %	23 %
2018년	18 %	64 %	18 %
2019년	20 %	65 %	15 %

1. 띠그래프만 보고 2017년의 C 제품의 판매량을 알 수 있습니다. (×)

✤ C 제품의 판매량의 비율만 알 수 있습니다.

2. A 제품의 판매량의 비율이 점점 늘어나고 있습니다. (○)

✤ A 제품의 판매량의 비율이 2017년에 14 %, 2018년에 18 %, 2019년에 20 %로 늘어나고 있습니다.

3. A 제품과 C 제품의 판매량의 비율이 같은 해는 2018년입니다. (○)

✤ 2018년에 A 제품과 C 제품의 판매량의 비율은 18 %로 같습니다.

[4~6] 상미네 학교 학생들이 존경하는 위인을 조사하여 나타낸 원그래프입니다. 물음에 답하세요.

존경하는 위인별 학생 수

5 단원

4. 존경하는 위인 중 25 % 이상의 비율을 차지하는 위인을 모두 찾아 써 보세요. (**세종대왕, 이순신**)

✤ 25 % 이상의 비율을 차지하는 위인은 세종대왕(33 %)과 이순신(28 %)입니다.

5. 광개토대왕 또는 유관순을 존경하는 학생 수는 전체의 몇 %인지 구해 보세요. (**34 %**)

✤ 광개토대왕: 20 %, 유관순: 14 %
➡ 20 + 14 = 34 (%)

6. 유관순을 존경하는 학생이 70명이라면 이순신을 존경하는 학생은 몇 명인지 구해 보세요. (**140명**)

✤ 이순신을 존경하는 학생(28 %)은 유관순을 존경하는 학생(14 %)의 28 ÷ 14 = 2(배)입니다.
따라서 70 × 2 = 140(명)입니다.

교과서 개념 play 원그래프 완성하기

각 항목과 백분율이 써 있는 붙임딱지를 붙여 원그래프를 완성해 보세요.

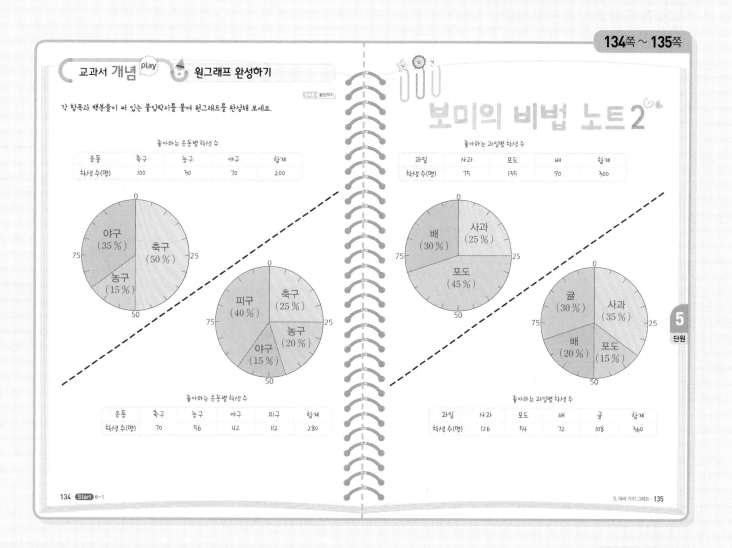

보미의 비법 노트 2

집중! 드릴 문제

정답과 풀이 p.33

[1~2] 표를 보고 백분율을 구하여 □ 안에 알맞은 수를 써넣으세요.

1
키우는 동물별 학생 수

동물	강아지	고양이	햄스터	기타	합계
학생 수(명)	100	160	80	60	400

· 강아지: $\frac{100}{400} \times 100 = $ **25** (%)   · 고양이: $\frac{160}{400} \times 100 = $ **40** (%)

· 햄스터: $\frac{80}{400} \times 100 = $ **20** (%)   · 기타: $\frac{60}{400} \times 100 = $ **15** (%)

➡ 백분율의 합계: **25** + **40** + **20** + **15** = **100** (%)

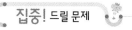

2
좋아하는 생선별 학생 수

생선	참치	갈치	연어	기타	합계
학생 수(명)	65	80	75	30	250

· 참치: $\frac{65}{250} \times 100 = $ **26** (%)   · 갈치: $\frac{80}{250} \times 100 = $ **32** (%)

· 연어: $\frac{75}{250} \times 100 = $ **30** (%)   · 기타: $\frac{30}{250} \times 100 = $ **12** (%)

➡ 백분율의 합계: **26** + **32** + **30** + **12** = **100** (%)

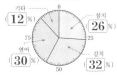

3 좋아하는 과목별 학생 수를 조사하여 나타낸 띠그래프입니다. 물음에 답하세요.

좋아하는 과목별 학생 수

(1) 가장 높은 비율을 차지하는 항목은 무엇인지 써 보세요.

(**수학**)

✿ 가장 높은 비율을 차지하는 항목은 띠의 길이가 가장 긴 수학입니다.

(2) 국어 또는 과학을 좋아하는 학생은 전체의 몇 %인지 구해 보세요.

(**45 %**)

✿ 국어: 25 %, 과학: 20 % ➡ 25 + 20 = 45 (%)

(3) 수학을 좋아하는 학생 수는 사회를 좋아하는 학생 수의 몇 배인지 구해 보세요.

(**2배**)

✿ 수학: 30 %, 사회: 15 % ➡ 30 ÷ 15 = 2(배)

(4) 조사한 전체 학생 수가 160명이라면 국어를 좋아하는 학생은 몇 명인지 구해 보세요.

(**40명**)

✿ 160 × 0.25 = 40(명)

4 받고 싶은 선물별 학생 수를 조사하여 나타낸 원그래프입니다. 물음에 답하세요.

받고 싶은 선물별 학생 수

(1) 두 번째로 많은 학생이 받고 싶은 선물은 무엇인지 구해 보세요.

(**게임기**)

✿ 스마트폰(30 %) > 게임기(25 %) > 인형(20 %) > 옷(15 %) > 기타(10 %)

(2) 받고 싶은 선물 중 25 % 이상의 비율을 차지하는 선물을 모두 찾아 써 보세요.

(**스마트폰, 게임기**)

✿ 25 % 이상의 비율을 차지하는 선물은 스마트폰(30 %)과 게임기(25 %)입니다.

(3) 스마트폰을 받고 싶은 학생 수는 옷을 받고 싶은 학생 수의 몇 배인지 구해 보세요.

(**2배**)

✿ 옷: 15 %, 스마트폰: 30 % ➡ 30 ÷ 15 = 2(배)

(4) 기타에 속하는 학생이 30명이라면 인형을 받고 싶은 학생은 몇 명인지 구해 보세요.

(**60명**)

✿ 인형을 받고 싶은 학생 수는 기타에 속하는 학생 수의 20 ÷ 10 = 2(배)입니다.
➡ 30 × 2 = 60(명)

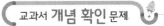
교과서 개념 확인 문제

1 승기네 학교 학생들이 좋아하는 간식을 조사하여 나타낸 표와 원그래프입니다. 물음에 답하세요.

좋아하는 간식별 학생 수

간식	떡볶이	튀김	쫄면	핫도그	합계
학생 수(명)	84	48	72	36	**240**
백분율(%)	35	20	30	15	**100**

좋아하는 간식별 학생 수

(1) 위 표를 완성해 보세요.

❖ 전체 학생 수는 84＋48＋72＋36＝240(명)이고, 백분율의 합계는 35＋20＋30＋15＝100 (%)입니다.

(2) 가장 많은 학생이 좋아하는 간식은 무엇이고 이 간식은 전체의 몇 %인지 차례로 써 보세요.

(**떡볶이**), (**35 %**)

❖ 원그래프에서 넓이가 가장 넓은 부분을 찾으면 떡볶이이고 35 %입니다.

(3) 쫄면을 좋아하는 학생 수는 핫도그를 좋아하는 학생 수의 몇 배인지 구해 보세요.

(**2배**)

❖ 쫄면은 30 %, 핫도그는 15 %이므로 30÷15＝2(배)입니다.

(4) 좋아하는 학생 수가 많은 간식부터 차례로 써 보세요.

(**떡볶이, 쫄면, 튀김, 핫도그**)

❖ 넓이가 넓은 순서대로 씁니다.

138 · Start 6-1

2 어떤 그래프를 이용하면 편리하게 알 수 있는지 알맞은 그래프를 모두 찾아 기호를 써 보세요.

> ㉠ 막대그래프   ㉡ 꺾은선그래프   ㉢ 띠그래프   ㉣ 원그래프

(1) 우리 반 친구들이 좋아하는 과목 → (**㉠, ㉢, ㉣**)

(2) 내 몸무게의 월별 변화 → (**㉡**)

❖ (2) 시간에 따른 변화하는 양을 나타내기 좋은 그래프는 꺾은선그래프입니다.

3 진주네 반 학생들의 성씨를 조사하여 나타낸 표입니다. 물음에 답하세요.

성씨별 학생 수

성씨	김씨	이씨	박씨	문씨	기타	합계
학생 수(명)	8	4	5	3	5	25
백분율(%)	32	**16**	**20**	**12**	**20**	**100**

(1) 전체 학생 수에 대한 성씨별 학생 수의 백분율을 구하여 표를 완성해 보세요.

(2) 표를 보고 원그래프로 나타내어 보세요.

성씨별 학생 수

❖ 각 항목들이 차지하는 백분율의 크기만큼 선을 그어 원을 나누고 나눈 부분에 각 항목의 내용과 백분율을 씁니다.

5. 여러 가지 그래프 · 139

교과서 개념 확인 문제

4 준수네 반 학생들이 즐겨 읽는 책의 종류를 조사하여 나타낸 띠그래프입니다. 물음에 답하세요.

즐겨 읽는 책의 종류

0 10 20 30 40 50 60 70 80 90 100(%)
만화책(45 %)   동화책(30 %)   위인전(15 %)   기타(10 %)

(1) 만화책을 즐겨 읽는 학생 수는 위인전을 즐겨 읽는 학생 수의 몇 배인지 구해 보세요.

(**3배**)

❖ 만화책은 45 %, 위인전은 15 %이므로 45÷15＝3(배)입니다.

(2) 기타에 속하는 학생이 2명이라면 동화책을 즐겨 읽는 학생은 몇 명인지 구해 보세요.

(**6명**)

❖ 기타는 10 %, 동화책은 30 %이므로 30÷10＝3(배)입니다.
→ 2×3＝6(명)

5 보미네 학교 학생들이 좋아하는 TV 프로그램을 조사하여 나타낸 원그래프입니다. 물음에 답하세요.

좋아하는 TV 프로그램별 학생 수

(1) 어느 프로그램의 비율이 가장 높은지 찾아 써 보세요.

(**드라마**)

❖ 드라마(35 %)＞만화(30 %)
＞오락(25 %)＞교육(10 %)이므로 드라마입니다.

(2) 오락 또는 교육을 좋아하는 학생은 전체의 몇 %인지 구해 보세요.

(**35 %**)

❖ 오락: 25 %, 교육: 10 % → 25＋10＝35 (%)

(3) 조사한 전체 학생 수가 180명이라면 만화를 좋아하는 학생은 몇 명인지 구해 보세요.

(**54명**)

140 · Start 6-1   ❖ 180×0.3＝54(명)

6 호동이네 학교 학생들이 좋아하는 계절을 조사하여 나타낸 막대그래프입니다. 물음에 답하세요.

좋아하는 계절별 학생 수

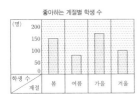

(1) 위 막대그래프를 보고 표를 완성해 보세요.

좋아하는 계절별 학생 수

계절	봄	여름	가을	겨울	합계
학생 수(명)	150	**80**	**170**	**100**	**500**
백분율(%)	30	**16**	**34**	**20**	100

(2) 위 표를 보고 띠그래프로 나타내어 보세요.

좋아하는 계절별 학생 수

0 10 20 30 40 50 60 70 80 90 100(%)
봄(30 %)   여름(16 %)   가을(34 %)   겨울(20 %)

❖ 백분율의 크기만큼 선을 그어 띠를 나누고 나눈 부분에 각 항목의 내용과 백분율을 씁니다.

(3) 원그래프로 나타내어 보세요.

좋아하는 계절별 학생 수

❖ 백분율의 크기만큼 선을 그어 원을 나누고 나눈 부분에 각 항목의 내용과 백분율을 씁니다.

5. 여러 가지 그래프 · 141

개념 확인평가

5. 여러 가지 그래프

맞은 개수

정답과 풀이 p.35

1 전체에 대한 각 부분의 비율을 한눈에 알 수 있는 그래프를 모두 찾아보세요. ······(④ , ⑤)

① 막대그래프　　② 꺾은선그래프　　③ 그림그래프
④ 띠그래프　　⑤ 원그래프

✦ 전체에 대한 각 부분의 비율을 한눈에 알 수 있는 그래프는 띠그래프와 원그래프입니다.

[2~4] 어느 지역의 과수원별 배 생산량을 조사하여 나타낸 표와 그림그래프입니다. 물음에 답하세요.

과수원별 배 생산량

과수원	가	나	다	라
생산량(kg)	**260**	340	**180**	410

과수원별 배 생산량

🍐 100 kg　🍐 10 kg

2 그림그래프를 보고 표의 빈칸에 알맞은 수를 써넣으세요.

✦ 가 과수원은 100 kg 그림이 2개, 10 kg 그림이 6개이므로 260 kg입니다. 다 과수원은 100 kg 그림이 1개, 10 kg 그림이 8개이므로 180 kg입니다.

3 □ 안에 알맞은 수를 써넣으세요.

🍐은 100 kg, 🍐은 10 kg을 나타낸다고 할 때 나 과수원의 배 생산량은

🍐 **3** 개, 🍐 **4** 개로 나타냅니다.

4 표를 보고 그림그래프를 완성해 보세요.

✦ 나 과수원의 배 생산량은 340 kg이므로 100 kg 그림 3개, 10 kg 그림 4개로 나타내어야 합니다.
라 과수원의 배 생산량은 410 kg이므로 100 kg 그림 4개, 10 kg 그림 1개로 나타내어야 합니다.

142 · Start 6-1

정답과 풀이 p.35

[5~7] 연서네 학교 학생들이 가고 싶은 산을 조사하여 나타낸 띠그래프입니다. 물음에 답하세요.

가고 싶은 산별 학생 수

0　10　20　30　40　50　60　70　80　90　100(%)
한라산 (30 %)	지리산 (20 %)	북한산 (15 %)	남산 (15 %)	기타 (20 %)

5 가장 높은 비율을 차지하는 산을 찾아 써 보세요.

(**한라산**)

✦ 가장 높은 비율을 차지하는 산은 띠의 길이가 가장 긴 한라산입니다.

6 북한산과 비율이 같은 산을 찾아 써 보세요.

(**남산**)

✦ 북한산과 남산의 비율이 15 %로 같습니다.

7 한라산에 가고 싶은 학생 수는 남산에 가고 싶은 학생 수의 몇 배인지 구해 보세요.

(**2배**)

✦ 한라산: 30 %, 남산: 15 % ➡ $30 \div 15 = 2$(배)

[8~9] 어느 마을의 채소별 생산량을 조사하여 나타낸 원그래프입니다. 물음에 답하세요.

채소별 생산량

기타(10 %), 양파(20 %), 감자, 고구마(40 %)

8 양파 생산량이 250 kg일 때 고구마 생산량은 몇 kg인지 구해 보세요.

✦ 양파: 20 %, 고구마: 40 %

(**500 kg**)

➡ $40 \div 20 = 2$(배)이므로 고구마 생산량은 $250 \times 2 = 500$ (kg)입니다.

9 전체 생산량이 1250 kg일 때 감자 생산량은 몇 kg인지 구해 보세요.

(**375 kg**)

✦ (감자가 차지하는 비율) $= 100 - 40 - 20 - 10 = 30$ (%)

➡ 감자 생산량은 $1250 \times 0.3 = 375$ (kg)입니다.

5단원

5. 여러 가지 그래프 · 143

개념 확인평가

5. 여러 가지 그래프

정답과 풀이 p.35

[10~13] 어느 마을의 재활용품별 배출량을 조사하여 나타낸 그림그래프입니다. 물음에 답하세요.

재활용품별 배출량

종류	배출량
종이류	🛍️🛍️🛍️🛍️
플라스틱류	🛍️🛍️🛍️🛍️
병류	🛍️🛍️🛍️
비닐류	🛍️🛍️🛍️🛍️🛍️🛍️

🛍️ 100 kg　🛍️ 10 kg

10 표를 완성해 보세요.

재활용품별 배출량

종류	종이류	플라스틱류	병류	비닐류	합계
배출량(kg)	150	180	**210**	60	**600**
백분율(%)	**25**	**30**	35	**10**	100

11 띠그래프로 나타내어 보세요.

재활용품별 배출량

0　10　20　30　40　50　60　70　80　90　100(%)
종이류 (25 %)	플라스틱류 (30 %)	병류 (35 %)	비닐류 (10 %)

12 막대그래프로 나타내어 보세요.

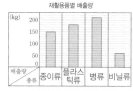

재활용품별 배출량

13 원그래프로 나타내어 보세요.

재활용품별 배출량

144 · Start 6-1

✦ 작은 눈금 1칸이 10 kg므로 종이류는 15칸, 플라스틱류는 18칸, 병류는 21칸, 비닐류는 6칸으로 그립니다.

✦ • 병류: 100 kg 그림 2개, 10 kg 그림 1개이므로 210 kg
➡ (합계) $= 150 + 180 + 210 + 60 = 600$ (kg)

• 종이류: $\dfrac{150}{600} \times 100 = 25$ (%)

• 플라스틱류: $\dfrac{180}{600} \times 100 = 30$ (%)

• 비닐류: $\dfrac{60}{600} \times 100 = 10$ (%)

[GO! 매쓰]
여기까지 5단원 내용입니다.
다음부터는 6단원 내용이 시작합니다.

✦ 백분율의 크기만큼 선을 그어 원을 나누고 나눈 부분에 각 항목의 내용과 백분율을 씁니다.

교과서 개념 잡기

정답과 풀이 p.36

개념 ① 직육면체의 부피를 비교하기

· 어떤 물건이 공간에서 차지하는 크기

• 직접 맞대어 부피 비교하기

→ 직육면체 A와 B의 가로, 세로, 높이는 각각 맞대어 비교할 수 있지만 어느 직육면체의 부피가 더 큰지 정확히 비교할 수 없습니다.

세로: A>B, A<B, B>A

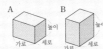

가로: 가 (=) 나 ┐
세로: 가 (=) 나 ┤→ 부피: 가 (<) 나
높이: 가 (<) 나 ┘

가로: 다 (=) 라 ┐
세로: 다 (>) 라 ┤→ 부피: 다 (>) 라
높이: 다 (=) 라 ┘

가로, 세로, 높이 중 2개의 길이가 같을 때 나머지 하나를 비교하면 부피를 비교할 수 있어요.

• 쌓기나무를 사용하여 부피 비교하기

→ 쌓기나무 수가 더 많은 것은 나이므로 부피를 비교하면 가 (<) 나입니다.

16개   18개

쌓기나무 수가 많을수록 부피가 더 큽니다.

✏ 개념 O X

🔷 직육면체의 부피를 비교한 설명이 맞으면 ○표, 틀리면 ×표 하세요.

 마   바

세로와 높이가 각각 같으므로 가로를 비교하면 바의 부피가 더 ○ 큽니다.

146 · Start 6-1

---

1 직육면체 모양 상자의 부피를 비교하려고 합니다. 물음에 답하세요.

 가   나

(1) 가로, 세로, 높이를 각각 비교하여 ○ 안에 >, =, <를 알맞게 써넣으세요.

가로: 가 (>) 나   세로: 가 (>) 나   높이: 가 (<) 나

(2) 알맞은 말에 ○표 하세요.

가와 나 중 어느 상자의 부피가 더 큰지 정확히 비교할 수 (있습니다. 없습니다)

2 부피가 더 큰 직육면체의 기호를 써 보세요.

(1) 가   나   (2) 다   라

(나)   (다)

❖ (1) 가로와 높이가 같으므로 세로를 비교하면 4 cm < 7 cm입니다.
(2) 세로와 높이가 같으므로 가로를 비교하면 10 cm > 6 cm입니다.

3 크기가 같은 쌓기나무를 사용하여 다음과 같이 직육면체 모양으로 쌓았습니다. 물음에 답하세요.

 가   나

(1) 가와 나에 사용한 쌓기나무는 각각 몇 개일까요?

가 (9개), 나 (8개)

(2) 부피가 더 큰 직육면체 모양의 기호를 써 보세요.

(가)

❖ 쌓기나무 수가 많은 것의 부피가 더 큽니다.
→ 9개 > 8개이므로 가의 부피가 더 큽니다.

6 단원

6. 직육면체의 부피와 겉넓이 · 147

교과서 개념 잡기

정답과 풀이 p.36

개념 ② 직육면체의 부피를 구하는 방법을 알아보기

• 부피의 단위
부피를 나타낼 때 한 모서리의 길이가 1 cm인 정육면체의 부피를 단위로 사용할 수 있습니다. 이 정육면체의 부피를 1 cm³라 쓰고, 1 세제곱센티미터라고 읽습니다.

따라 써 보세요.

 1 cm³ 1 cm^3 1 cm^3

• 직육면체의 부피 구하기

(쌓기나무의 수)=3×2×2=12(개)
→ 부피가 1 cm³인 쌓기나무가 12개이므로 직육면체의 부피는 12 cm³입니다.

(직육면체의 부피)
=(가로)×(세로)×(높이)
=(밑면의 넓이)×(높이)

• 정육면체의 부피 구하기

(정육면체의 부피)
=(한 모서리의 길이)
×(한 모서리의 길이)
×(한 모서리의 길이)

정육면체는 모서리의 길이가 모두 같기 때문에 가로, 세로, 높이가 모두 같아요.

✏ 개념 O X

🔷 정육면체의 부피를 바르게 나타낸 사람에게 ○표 하세요.

모서리의 길이가 같으므로 (■×3) cm³ 이에요.

한 모서리의 길이를 세 번 곱하면 (■×■×■) cm³ 이에요. ○

148 · Start 6-1

---

1 부피가 1 cm³와 가장 비슷한 물건을 찾아 ○ 하세요.

| 필통 | 책상 | 선풍기 | 각설탕 | 컴퓨터 |

❖ 한 모서리의 길이가 1 cm인 정육면체의 부피를 1 cm³라고 합니다.

2 부피가 1 cm³인 쌓기나무로 다음과 같이 직육면체를 만들었습니다. 직육면체의 부피를 구해 보세요.

(1)   (2)

(12 cm³)   (24 cm³)

부피가 1 cm³인 쌓기나무가 ■개이면 부피는 ■ cm³이에요.

❖ (1) 4×3=12(개) → 12 cm³
(2) 12×2=24(개) → 24 cm³

3 직육면체의 부피를 구하려고 합니다. □ 안에 알맞은 수를 써넣으세요.

(1)   (2)

→ (직육면체의 부피)
= 2 × 2 × 3
= 12 (cm³)

→ (직육면체의 부피)
= 4 × 3 × 2
= 24 (cm³)

4 정육면체의 부피를 구하려고 합니다. □ 안에 알맞은 수를 써넣으세요.

→ (정육면체의 부피)= 3 × 3 × 3
= 27 (cm³)

6 단원

6. 직육면체의 부피와 겉넓이 · 149

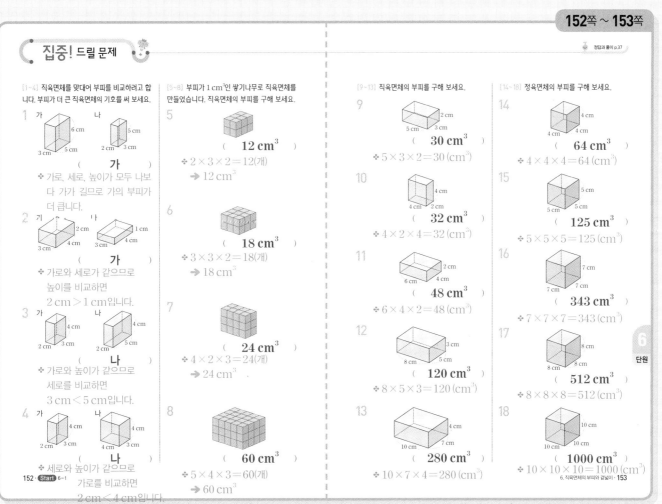

교과서 **개념 확인 문제**

정답과 풀이 p.38

1 부피가 더 큰 직육면체 모양의 상자에 ○표 하세요.

(○)　　　( )

❖ 세로와 높이가 같으므로 가로를 비교하면 $7\,cm > 6\,cm$입니다.
➡ 왼쪽 직육면체의 부피가 더 큽니다.

2 그림을 보고 □ 안에 알맞게 써넣으세요.

한 모서리의 길이가 $1\,cm$인 정육면체의 부피를 $\boxed{1\,cm^3}$라 쓰고,

$\boxed{\text{1 세제곱센티미터}}$ (이)라고 읽습니다.

3 직육면체의 부피를 구하는 식을 쓰려고 합니다. □ 안에 알맞은 말을 써넣으세요.

(직육면체의 부피)=($\boxed{\text{가로}}$)×($\boxed{\text{세로}}$)×($\boxed{\text{높이}}$)

4 다음과 같은 직육면체의 부피는 몇 cm^3일까요?

가로가 $6\,cm$, 세로가 $3\,cm$, 높이가 $10\,cm$인 직육면체

(**180 cm^3**)

❖ (직육면체의 부피)=(가로)×(세로)×(높이)
　　　　　　　 $=6\times3\times10=180\,(cm^3)$

5 크기가 같은 쌓기나무를 사용하여 다음과 같이 직육면체 모양으로 쌓은 후 부피를 비교하려고 합니다. 물음에 답하세요.

　가　　　나

(1) 가와 나에 사용한 쌓기나무는 각각 몇 개일까요?

가 (**36개**), 나 (**42개**)

(2) 가와 나 중에서 부피가 더 큰 직육면체는 어느 것일까요?

(**나**)

❖ (1) 가: 한 층에 $3\times3=9$(개)씩 4층이므로 $9\times4=36$(개)입니다.
　　 나: 한 층에 $7\times2=14$(개)씩 3층이므로 $14\times3=42$(개)입니다.
　 (2) 쌓기나무의 수를 비교하면 $36<42$이므로 나의 부피가 더 큽니다.

6 부피가 $1\,cm^3$인 쌓기나무를 사용하여 다음과 같이 직육면체 모양으로 쌓았습니다. 쌓기나무의 수를 세어 직육면체의 부피를 구해 보세요.

(1) 　　　(2)

$\boxed{16}$개 ➡ $\boxed{16}\,cm^3$　　$\boxed{12}$개 ➡ $\boxed{12}\,cm^3$

❖ (1) $2\times2\times4=16$(개) ➡ $16\,cm^3$
　 (2) $3\times2\times2=12$(개) ➡ $12\,cm^3$

7 직육면체의 부피는 몇 cm^3일까요?

(1) 　　(2)

(**210 cm^3**)　　(**108 cm^3**)

❖ (1) $6\times5\times7=210\,(cm^3)$
　 (2) $3\times4\times9=108\,(cm^3)$

6 단원

교과서 **개념 확인 문제**

정답과 풀이 p.38

8 정육면체의 부피를 구하는 식을 쓰려고 합니다. □ 안에 알맞은 말을 써넣으세요.

(정육면체의 부피)=($\boxed{\text{한 모서리의 길이}}$)×($\boxed{\text{한 모서리의 길이}}$)
　　　　　　　　　　×($\boxed{\text{한 모서리의 길이}}$)

9 한 모서리의 길이가 $4\,cm$인 정육면체의 부피는 몇 cm^3일까요?

(**64 cm^3**)

❖ $4\times4\times4=64\,(cm^3)$

10 정육면체의 부피는 몇 cm^3일까요?

(1) 　　(2)

(**729 cm^3**)　　(**1331 cm^3**)

❖ (1) $9\times9\times9=729\,(cm^3)$
　 (2) $11\times11\times11=1331\,(cm^3)$

11 정육면체 가와 직육면체 나 중에서 부피가 더 큰 것을 찾아 기호를 써 보세요.

가　　　　나

❖ (가의 부피)=$8\times8\times8=512\,(cm^3)$
　 (나의 부피)=$15\times6\times5=450\,(cm^3)$

(**가**)

따라서 $512>450$이므로 가의 부피가 더 큽니다.

12 직육면체에서 색칠한 한 면의 넓이와 높이를 나타낸 것입니다. 직육면체의 부피는 몇 cm^3일까요?

(1) 　　(2)

(**105 cm^3**)　　(**145 cm^3**)

❖ (직육면체의 부피)=(가로)×(세로)×(높이)=(밑면의 넓이)×(높이)
　 (1) $15\times7=105\,(cm^3)$
　 (2) $29\times5=145\,(cm^3)$

13 다음 전개도로 만든 정육면체의 부피는 몇 cm^3일까요?

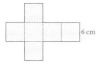

(**216 cm^3**)

❖ $6\times6\times6=216\,(cm^3)$

14 다음 직육면체 모양 보석함의 부피는 $7200\,cm^3$입니다. □ 안에 알맞은 수를 구해 보세요.

(**36**)

❖ $10\times\square\times20=7200$, $200\times\square=7200$,
　 $\square=7200\div200=36\,(cm)$

6 단원

교과서 개념 잡기

정답과 풀이 p.39

개념 3 m³를 알아보기

• 부피의 큰 단위

부피를 나타낼 때 한 모서리의 길이가 1 m인 정육면체의 부피를 단위로 사용할 수 있습니다.
이 정육면체의 부피를 1 m³라 쓰고, 1 세제곱미터라고 읽습니다.

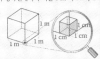

$$1\,m^3 \quad 1\,m^3$$

• 1 m³와 1 cm³의 관계

1 m³는 몇 cm³일까요?

➡ 부피가 1 m³인 정육면체는 부피가 1 cm³인 쌓기나무를 가로에 100개, 세로에 100개, 높이에 100층을 쌓아야 하므로 쌓기나무는 모두 $100 \times 100 \times 100 = 1000000$(개) 필요합니다.

$$1\,m^3 = 1\,m \times 1\,m \times 1\,m$$
$$= 100\,cm \times 100\,cm \times 100\,cm$$
$$= 1000000\,cm^3$$

$$1\,m^3 = 1000000\,cm^3$$

1 m³
||
1000000 cm³

개념 O X

💡 1 m³에 대해 잘못 설명한 것에 ✕표 하세요.

한 모서리의 길이가 1 m인 정육면체의 부피입니다.

1 세제곱미터라고 읽습니다.

100000 cm³와 같습니다. ✕

▲ 출처 ©PixMarket, shutterstock

158 · Start 6-1

---

1 정육면체의 부피를 주어진 단위로 각각 나타내려고 합니다. ☐ 안에 알맞은 수를 써넣으세요.

$$\boxed{1}\,m^3$$
$$\boxed{1000000}\,cm^3$$

2 ☐ 안에 알맞은 수를 써넣으세요.

(1) $2\,m^3 = \boxed{2000000}\,cm^3$ (2) $13\,m^3 = \boxed{13000000}\,cm^3$

(3) $5000000\,cm^3 = \boxed{5}\,m^3$ (4) $22000000\,cm^3 = \boxed{22}\,m^3$

3 직육면체의 부피는 몇 m³인지 구하려고 합니다. ☐ 안에 알맞은 수를 써넣으세요.

(1) (2)

➡ (부피)$=\boxed{2}\times\boxed{1}\times\boxed{3}$ ➡ (부피)$=\boxed{2}\times\boxed{2}\times\boxed{2}$
  $=\boxed{6}\,(m^3)$ $=\boxed{8}\,(m^3)$

4 직육면체의 부피는 몇 cm³일까요?

(1) (2)

(9000000 cm³) **(24000000cm³)**

✤ (1) $3 \times 3 \times 1 = 9\,(m^3)$ ➡ $9000000\,cm^3$
  (2) $3 \times 4 \times 2 = 24\,(m^3)$ ➡ $24000000\,cm^3$

6 단원

6. 직육면체의 부피와 겉넓이 · 159

교과서 개념 잡기

정답과 풀이 p.39

개념 4 직육면체의 겉넓이를 구하는 방법을 알아보기

• 직육면체의 겉넓이

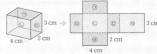

직육면체의 겉넓이는 직육면체 여섯 면의 넓이의 합이에요.

방법1 여섯 면의 넓이의 합으로 구하기
ㄱ+ㄴ+ㄷ+ㄹ+ㅁ+ㅂ$=(4\times2)+(4\times3)+(2\times3)+(4\times3)+(2\times3)+(4\times2)$
$=8+12+6+12+6+8=52\,(cm^2)$

방법2 합동인 면이 3쌍이므로 세 면의 넓이(ㄱ, ㄴ, ㄷ)를 구해 각각 2배 한 뒤 더하기
ㄱ$\times2+$ㄴ$\times2+$ㄷ$\times2=(4\times2)\times2+(4\times3)\times2+(2\times3)\times2$
$=16+24+12=52\,(cm^2)$

방법3 합동인 면이 3쌍이므로 세 면의 넓이(ㄱ, ㄴ, ㄷ)의 합을 구한 뒤 2배 하기
(ㄱ+ㄴ+ㄷ)$\times2=(4\times2+4\times3+2\times3)\times2=(8+12+6)\times2=52\,(cm^2)$

방법4 두 밑면의 넓이와 옆면의 넓이를 더하기
(한 밑면의 넓이)$\times2+$(옆면의 넓이)$=$ㄱ$\times2+($ㅁ$+$ㄴ$+$ㄷ$+$ㄹ$)$
$=(4\times2)\times2+(2+4+2+4)\times3$
$=16+36=52\,(cm^2)$

• 정육면체의 겉넓이

방법1 여섯 면의 넓이의 합으로 구하기
$3\times3+3\times3+3\times3+3\times3+3\times3+3\times3=54\,(cm^2)$

방법2 한 면의 넓이를 6배 하기
$(3\times3)\times6=54\,(cm^2)$

개념 O X

💡 정육면체의 겉넓이를 구하는 식을 바르게 나타낸 것에 ◯표 하세요.

■×■×■   ■×■×6 ◯

160 · Start 6-1

[1~3] 직육면체의 겉넓이를 여러 가지 방법으로 구하려고 합니다. 물음에 답하세요.

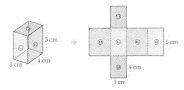

1 여섯 면의 넓이의 합으로 구하려고 합니다. ☐ 안에 알맞은 수를 써넣으세요.

ㄱ+ㄴ+ㄷ+ㄹ+ㅁ+ㅂ$=12+15+\boxed{20}+15+\boxed{20}+\boxed{12}$
$=\boxed{94}\,(cm^2)$

✤ ㄱ$=$ㅂ$=3\times4=12\,(cm^2)$, ㄴ$=$ㄹ$=3\times5=15\,(cm^2)$,
ㄷ$=$ㅁ$=4\times5=20\,(cm^2)$

2 합동인 면이 3쌍임을 이용하여 구하려고 합니다. ☐ 안에 알맞은 수를 써넣으세요.

(ㄱ+ㄴ+ㄷ)$\times2=(12+15+\boxed{20})\times2=\boxed{94}\,(cm^2)$

3 두 밑면의 넓이와 옆면의 넓이를 더하여 구하려고 합니다. ☐ 안에 알맞은 수를 써넣으세요.

ㄱ$\times2+($ㅁ$+$ㄴ$+$ㄷ$+$ㄹ$)=12\times2+(4+3+\boxed{4}+\boxed{3})\times5=\boxed{94}\,(cm^2)$

4 정육면체의 겉넓이를 구하려고 합니다. ☐ 안에 알맞은 수를 써넣으세요.

➡ (정육면체의 겉넓이)$=\boxed{2}\times\boxed{2}\times6$
$=\boxed{24}\,(cm^2)$

6 단원

6. 직육면체의 부피와 겉넓이 · 161

교과서 개념 play · 번호표 맞추고 손선풍기 찾기

번호표에 표기된 부피가 같은 학생끼리 같은 팀입니다.
같은 팀끼리 모여 있도록 번호표에 알맞은 부피를 붙여 보세요.

각 상자에는 상자의 겉넓이가 적혀 있는 손선풍기가 들어 있습니다.
알맞은 손선풍기를 찾아 상자 앞면에 붙여 보세요.

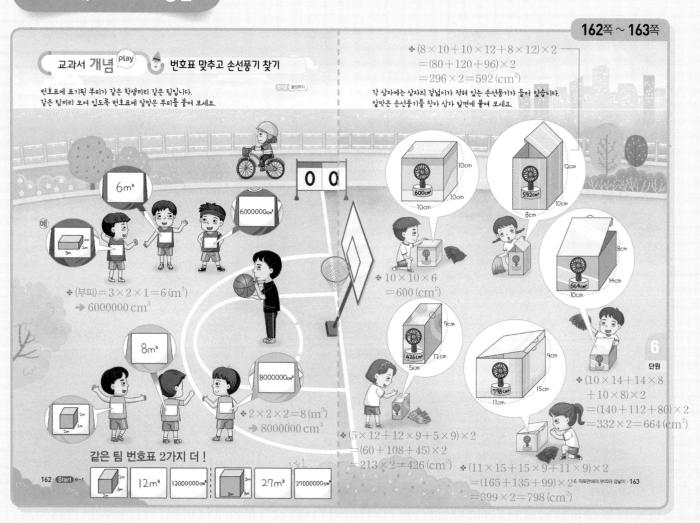

같은 팀 번호표 2가지 더!

162 · Start 6-1

6. 직육면체의 부피와 겉넓이 · 163

집중! 드릴 문제

정답과 풀이 p.40

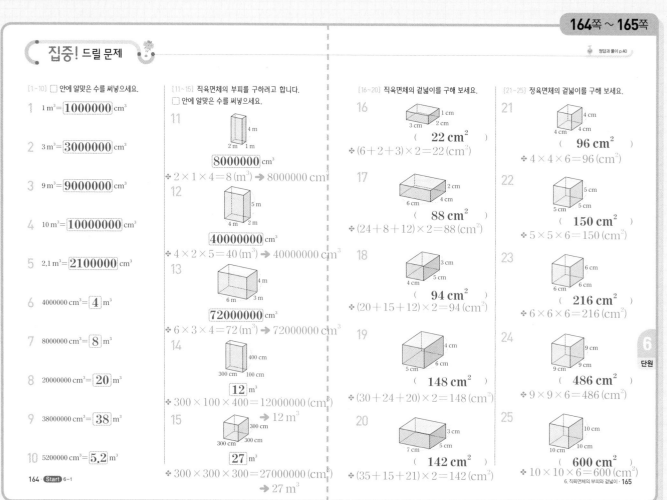

164 · Start 6-1

6. 직육면체의 부피와 겉넓이 · 165

교과서 개념 확인 문제

정답과 풀이 p.41

1 직육면체의 가로, 세로, 높이를 m로 나타내어 부피를 구하려고 합니다. 물음에 답하세요.

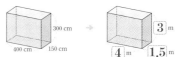

(1) □ 안에 알맞은 수를 써넣으세요.

(2) 직육면체의 부피는 몇 m³일까요?

(**18 m³**)

❖ (2) (직육면체의 부피)=(가로)×(세로)×(높이)
=4×1.5×3=18 (m³)

2 □ 안에 알맞은 수를 써넣으세요.

(1) 7 m³= **7000000** cm³

(2) 2.6 m³= **2600000** cm³

(3) 2000000 cm³= **2** m³

(4) 8500000 cm³= **8.5** m³

먼저
1 m³와 1 cm³의
관계를 알아봐요.

❖ 1 m³=1000000 cm³

3 직육면체의 부피를 주어진 단위로 각각 나타내어 보세요.

(1)

(**8**) m³
(**8000000**) cm³

(2)

(**42**) m³
(**42000000**) cm³

❖ (1) 4×1×2=8 (m³) ➡ 8000000 cm³
(2) 7×2×3=42 (m³) ➡ 42000000 cm³

4 정육면체의 부피를 주어진 단위로 각각 나타내어 보세요.

(1)

(**27**) m³
(**27000000**) cm³

(2)

(**1000**) m³
(**1000000000**) cm³

❖ (1) 3×3×3=27 (m³) ➡ 27000000 cm³
(2) 10×10×10=1000 (m³) ➡ 1000000000 cm³

5 관계있는 것끼리 선으로 이어 보세요.

3000000 cm³ — 30 m³
30000000 cm³ — 0.3 m³
300000 cm³ — 3 m³

6 직육면체와 정육면체의 겉넓이를 구하는 식을 쓰려고 합니다. □ 안에 알맞은 수를 써넣으세요.

(1) (직육면체의 겉넓이)=(한 꼭짓점에서 만나는 세 면의 넓이의 합)× **2**

(2) (정육면체의 겉넓이)=(한 면의 넓이)× **6**

7 직육면체의 겉넓이를 구하려고 합니다. □ 안에 알맞은 수를 써넣으세요.

(㉠의 넓이+㉡의 넓이+㉢의 넓이)×2
=(**36** + **24** + **54**)×2
= **228** (cm²)

❖ ㉠ 4×9=36 (cm²), ㉡ 4×6=24 (cm²), ㉢ 9×6=54 (cm²)
➡ (36+24+54)×2=228 (cm²)

6
단원

교과서 개념 확인 문제

정답과 풀이 p.41

8 직육면체 모양 상자의 겉넓이는 몇 cm²일까요?

(**236 cm²**)

❖ (6×8+8×5+6×5)×2=(48+40+30)×2
=118×2=236 (cm²)

9 정육면체 모양 나무토막의 겉넓이는 몇 cm²일까요?

(1)

(**294 cm²**)

(2)

(**726 cm²**)

❖ (1) 7×7×6=294 (cm²)
(2) 11×11×6=726 (cm²)

10 부피를 비교하여 ○ 안에 >, =, <를 알맞게 써넣으세요.

(1) 13000000 cm³ > 10 m³

(2) 800000 cm³ < 8 m³

❖ (1) 13000000 cm³=13 m³이므로
13000000 cm³ > 10 m³입니다.

(2) 800000 cm³=0.8 m³이므로 800000 cm³ < 8 m³입니다.

11 다음 전개도로 만든 정육면체의 겉넓이는 몇 cm²일까요?

한 면의 넓이: 25 cm²

(**150 cm²**)

❖ (정육면체의 겉넓이)=(한 면의 넓이)×6
=25×6=150 (cm²)

12 직육면체의 겉넓이를 구하려고 합니다. □ 안에 알맞은 수를 써넣으세요.

(직육면체의 겉넓이)=(한 밑면의 넓이)×2+(옆면의 넓이)
= **10** ×2+14× **4**
= **76** (cm²)

❖ 10×2+14×4=20+56=76 (cm²)

13 가와 나 중에서 어느 직육면체의 겉넓이가 몇 cm² 더 큰지 구해 보세요.

가

나

(**나** , **30 cm²**)

❖ (가의 겉넓이)=(7×5+5×2+7×2)×2=118 (cm²)
(나의 겉넓이)=(6×5+5×4+6×4)×2=148 (cm²)
➡ 148-118=30 (cm²)

14 다음 정육면체의 모든 모서리의 길이의 합은 72 cm입니다. 이 정육면체의 □ 안에 알맞은 수를 써넣고 겉넓이를 구해 보세요.

6 cm

(**216 cm²**)

❖ 정육면체의 모서리는 모두 12개이므로 한 모서리의 길이는
72÷12=6 (cm)입니다.
따라서 정육면체의 겉넓이는 6×6×6=216 (cm²)입니다.

6
단원

개념 확인평가
6. 직육면체의 부피와 겉넓이

맞은 개수

정답과 풀이 p.42

1 맞으면 ○표, 틀리면 ✕표 하세요.

> 한 모서리의 길이가 1 m인 정육면체를 쌓는 데 부피가 1 cm³인 쌓기나무가 10000개 필요합니다.

(✕)

✢ $100 \times 100 \times 100 = 1000000$(개)

2 부피가 가장 큰 직육면체의 기호를 써 보세요.

 가   나   다

✢ 가로와 세로가 같으므로 높이를 비교하면 (**다**)

$3 \text{ cm} < 5 \text{ cm} < 7 \text{ cm}$입니다.

➡ 다의 부피가 가장 큽니다.

3 부피가 1 cm³인 쌓기나무로 만든 직육면체의 부피를 구해 보세요.

(1)   (2)

(**36 cm³**)   (**60 cm³**)

✢ (1) $4 \times 3 \times 3 = 36$(개) ➡ 36 cm³

(2) $5 \times 4 \times 3 = 60$(개) ➡ 60 cm³

4 직육면체 모양의 떡과 카스텔라입니다. 부피는 몇 cm³일까요?

(1)   (2)

(**80 cm³**)   (**225 cm³**)

✢ (1) (떡의 부피) $= 5 \times 8 \times 2 = 80$ (cm³)

(2) (카스텔라의 부피) $= 5 \times 9 \times 5 = 225$ (cm³)

5 부피를 비교하여 ◯ 안에 >, =, <를 알맞게 써넣으세요.

✢ (왼쪽 직육면체의 부피) $= 9 \times 6 \times 4 = 216$ (cm³)

(오른쪽 정육면체의 부피) $= 6 \times 6 \times 6 = 216$ (cm³)

6 ◻ 안에 알맞은 수를 써넣으세요.

(1) $4 \text{ m}^3 = \boxed{4000000} \text{ cm}^3$ (2) $1.6 \text{ m}^3 = \boxed{1600000} \text{ cm}^3$

(3) $7000000 \text{ cm}^3 = \boxed{7} \text{ m}^3$ (4) $3500000 \text{ cm}^3 = \boxed{3.5} \text{ m}^3$

7 직육면체 모양 컨테이너의 부피를 주어진 단위로 각각 나타내어 보세요.

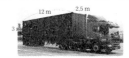

(**90**) m³

(**90000000**) cm³

✢ (컨테이너의 부피) $= 12 \times 2.5 \times 3 = 90$ (m³)

➡ 90000000 cm³

8 직육면체 모양 상자의 겉넓이는 몇 cm²일까요?

(1)   (2)

(**1230 cm²**)   (**6000 cm²**)

✢ (1) $(375 + 90 + 150) \times 2 = 1230$ (cm²)

(2) $(1050 + 1050 + 900) \times 2 = 6000$ (cm²)

개념 확인평가
6. 직육면체의 부피와 겉넓이

정답과 풀이 p.42

[9~10] 전개도를 이용하여 만든 직육면체의 부피는 180 cm³입니다. 물음에 답하세요.

9 전개도에서 ⊙의 길이는 몇 cm일까요?

(**10 cm**)

✢ (직육면체의 부피) $= 6 \times 3 \times ⊙ = 180$, $18 \times ⊙ = 180$,

$⊙ = 180 \div 18 = 10$ (cm)

10 전개도를 이용하여 만든 직육면체의 겉넓이는 몇 cm²일까요?

(**216 cm²**)

✢ (직육면체의 겉넓이) $= (6 \times 3 + 3 \times 10 + 6 \times 10) \times 2$

$= (18 + 30 + 60) \times 2 = 216$ (cm²)

11 용수철 장난감 상자는 정육면체 모양입니다. 상자의 겉넓이가 486 cm²일 때 ◻ 안에 알맞은 수를 써넣으세요.

 **9** cm

✢ 상자의 겉넓이는 $(◻ \times ◻ \times 6)$ cm²이므로

$◻ \times ◻ \times 6 = 486$, $◻ \times ◻ = 81$, $◻ = 9$입니다.

12 전개도를 이용하여 만든 정육면체의 부피와 겉넓이를 각각 구해 보세요.

부피 (**125 cm³**)

겉넓이 (**150 cm²**)

✢ 정육면체의 한 모서리의 길이는 $10 \div 2 = 5$ (cm)입니다.

➡ (정육면체의 부피) $= 5 \times 5 \times 5 = 125$ (cm³),

(정육면체의 겉넓이) $= 5 \times 5 \times 6 = 150$ (cm²)

[GO! 매쓰]
수고하셨습니다.
앞으로 Run 교재와 Jump 교재로
교과+사고력을 잡아 보세요.

Memo

Memo

정답은
이안에
있어.!

난이도 별점
쉬움 ★
보통 ★★★
어려움 ★★★★★
최상위 ★★★★★★★

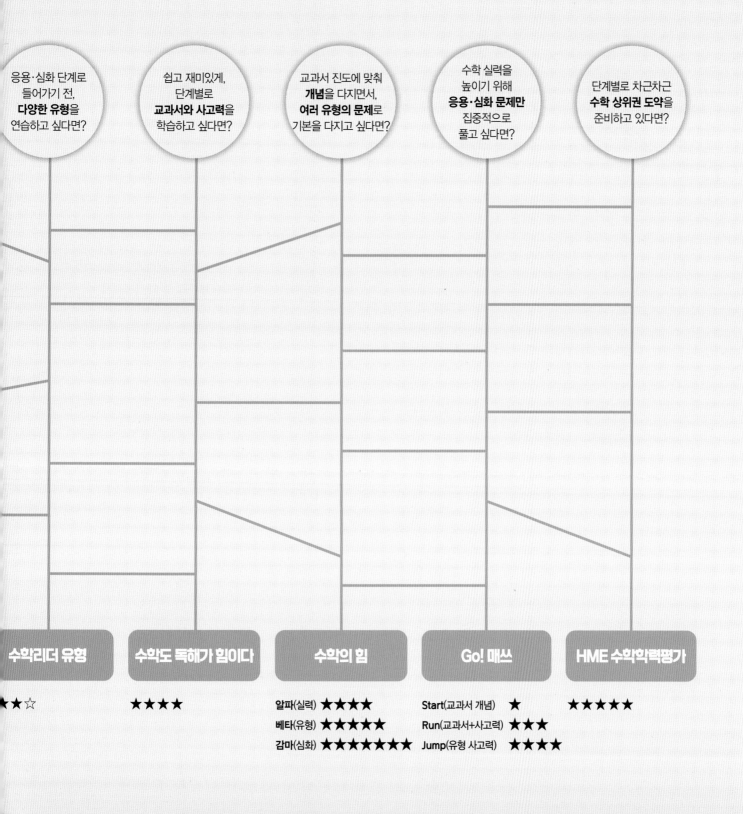

응용·심화 단계로 들어가기 전, **다양한 유형을** 연습하고 싶다면?

쉽고 재미있게, 단계별로 **교과서와 사고력을** 학습하고 싶다면?

교과서 진도에 맞춰 **개념을** 다지면서, **여러 유형의 문제로** 기본을 다지고 싶다면?

수학 실력을 높이기 위해 **응용·심화 문제만** 집중적으로 풀고 싶다면?

단계별로 차근차근 **수학 상위권 도약을** 준비하고 있다면?

수학리더 유형

수학도 독해가 힘이다

수학의 힘

Go! 매쓰

HME 수학학력평가

★★☆

★★★★

알파(실력) ★★★★
베타(유형) ★★★★★
감마(심화) ★★★★★★★

Start(교과서 개념) ★
Run(교과서+사고력) ★★★
Jump(유형 사고력) ★★★★

★★★★★

배움으로 행복한 내일을 꿈꾸는
천재교육 커뮤니티 안내 · · · ·

교재 안내부터 구매까지 한 번에!
천재교육 홈페이지

자사가 발행하는 참고서, 교과서에 대한 소개는 물론
도서 구매도 할 수 있습니다. 회원에게 지급되는 별을 모아
다양한 상품 응모에도 도전해 보세요!

다양한 교육 꿀팁에 깜짝 이벤트는 덤!
천재교육 인스타그램

천재교육의 새롭고 중요한 소식을 가장 먼저 접하고 싶다면?
천재교육 인스타그램 팔로우가 필수!
깜짝 이벤트도 수시로 진행되니 놓치지 마세요!

수업이 편리해지는
천재교육 ACA 사이트

오직 선생님만을 위한, 천재교육 모든 교재에 대한 정보가 담긴
아카 사이트에서는 다양한 수업자료 및 부가 자료는 물론
시험 출제에 필요한 문제도 다운로드하실 수 있습니다.

https://aca.chunjae.co.kr

천재교육을 사랑하는 샘들의 모임
천사샘

학원 강사, 공부방 선생님이시라면 누구나 가입할 수 있는 천사샘!
교재 개발 및 평가를 통해 교재 검토진으로 참여할 수 있는 기회는 물론
다양한 교사용 교재 증정 이벤트가 선생님을 기다립니다.

아이와 함께 성장하는 학부모들의 모임공간
튠맘 학습연구소

튠맘 학습연구소는 초·중등 학부모를 대상으로 다양한 이벤트와 함께
교재 리뷰 및 학습 정보를 제공하는 네이버 카페입니다.
초등학생, 중학생 자녀를 둔 학부모님이라면 튠맘 학습연구소로 오세요!